Het zakmes

Sjoerd Kuyper

Het zakmes

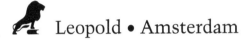 Leopold • Amsterdam

Dit boek is opgedragen aan Margje, mijn vrouw

De televisieserie en de bioscoopfilm die naar dit boek zijn
gemaakt, werden bekroond met:
International Emmy Award 1993
Prix Danube 1993
Cifej Award 1993
Kinderkast 1992
Gouden Kalf 1993
Cinekid Award 1992
en prijzen van internationale filmfestivals in Essen, Monte-
video, Wenen, Rimouski, Udaipur, Tel Aviv, Bellinzona en
Toronto.

Veertiende druk 2001
Copyright © Sjoerd Kuyper 1991
Foto omslag Leonie Ravenstein, Amsterdam
Foto auteur Margje Kuyper
Omslagontwerp Marjo Starink
NUGI 221/ISBN 90 258 4063 9

Inhoud

De verhuizing

Als hij het niet gedacht had… Te laat!

De ouders die hun kinderen naar school gebracht hebben lopen al van het plein af en in de verte gaat de grote schooldeur langzaam dicht.

Te laat… Op de eerste dag in groep drie!

Papa fietst zo snel hij kan het schoolplein op en stopt met piepende banden voor de deur. Mees springt van de bagagedrager en rent naar binnen. Maar papa roept hem terug.

'Kus!'

Wil papa nog een kus ook! Mees rent terug en geeft papa een kus. Papa knipoogt.

'Doe je best, hè…'

Mees rent de school weer in. Daar, om de hoek, daar is zijn nieuwe klas. Mag hij zomaar naar binnengaan? Dat weet hij niet. Moet hij eerst kloppen? Voorzichtig trekt Mees de deur een stukje open. Hij gluurt naar binnen. Hij ziet de nieuwe juf. De nieuwe juf ziet hem ook.

'Zo…' zegt ze. 'En wie ben jij?'

'Ik ben Mees, juf,' zegt Mees.

'Mees Wie?' vraagt de juf.

'Mees Grobben, juf,' zegt Mees.

'Mees Grobben!' zegt de juf. 'Ja hoor… Mees Grobben komt op de eerste schooldag gewoon te laat. Mooi begin, Mees Grobben!'

Mees wil zeggen dat hij meestal zelf naar school komt; het is niet ver, dus dat kan. En hij komt *nooit* te laat. Maar op deze bijzondere dag wilde papa hem brengen, en papa komt *altijd* te laat. Maar hij zegt het niet.

'Nou,' zegt de juf, 'zoek maar gauw een plekje...'

Mees kijkt de klas rond. Maar dát is fijn... daar is Tim! Tim zit helemaal achterin de klas en zwaait naar Mees. Hij zwaait en wijst. Naast hem is nog een plaats vrij. Mees loopt naar Tim toe en gaat zitten. Tim stompt Mees tegen z'n schouder. Heel zacht – zoals vrienden elkaar stompen. Mees lacht en gaat om zich heen zitten kijken.

De banken zijn groot, de nieuwe juf heeft een streng gezicht, en er is geen watertafel hier. Mees moet echt even wennen. De kinderen kent hij allemaal nog van groep twee. En hij zit naast Tim. Dat is goed. Want Tim is zijn vriend.

'Welkom in groep drie,' zegt de nieuwe juf. 'Nou en of! We gaan hard werken dit jaar. Ik leer jullie lezen als de allerbesten... Hebben jullie daar zin in?'

'Jááá!!!' roepen alle kinderen.

Mees roept mee: 'Jááá!!!'

'En rekenen?' vraagt de nieuwe juf. 'Hebben jullie daar ook zin in?'

'Jááá!' brult Mees, en hij knikt.

Net als de andere kinderen.

Maar wat is dat nu? Moet je Tim zien! Tim knikt niet. Tim brult niet... Tim zit stil en stoer voor zich uit te kijken.

'Dus we gaan flink ons best doen?' vraagt de nieuwe juf.

Mees zegt niks meer. Hij zit met open mond naar Tim te kijken. Tim zit stiekem met zijn hoofd te schudden. Nee, betekent dat. Tim schudt nee!

Mees begrijpt er niks van. Maar hij durft ook niks te vragen. In groep twee mocht je met elkaar praten in de klas. Maar of dat hier ook mag? Dat weet Mees nog niet. Daarom houdt hij zijn mond maar. Tot het speelkwartier is.

De nieuwe juf loopt door de klas, ze deelt boeken uit. Mees krijgt ook een boek. Hij begint te bladeren. Heel voor-

zichtig, alle bladzijden, één voor één. Hij vergeet Tim helemaal. In het boek staan prachtige letters. Mees ziet al meteen de 'm'. Van Mees.

Allemachtig! Tim kan lopen! Veel harder dan vóór de va-
kantie. Mees krijgt hem niet te pakken. Ze rennen achter
elkaar over het schoolplein.
'Hee!' roept Mees. 'Ik zag het heus wel, man! Jij zat nee te
schudden in de klas. Hee, wacht-es! Hee, Tim!'
Tim ploft neer op het stoepje achter de school. Mees gaat
naast hem zitten. Ze hijgen als honden.
'Wil jij niet leren lezen?' hijgt Mees.
'Ik ga verhuizen,' hijgt Tim. 'Over twee maanden. En dan
ga ik naar een andere school.'
'Gaan jullie ergens anders wonen?'
'In Flevoland… Alsmeer, geloof ik.'
'En moet je daar niet leren?' vraagt Mees.
'Tuurlijk wel,' zegt Tim. 'Maar heel andere dingen… In
een ander land leer je heel andere dingen. En dan heb ik niks
aan de dingen die ik hier leer.'
'O,' zegt Mees.
Alleen maar 'O'. Meer niet.
'In een ander land,' zegt Tim, 'leer je andere dingen. Dat
snap je zelf toch ook wel?'
'Wat dan?' vraagt Mees.
Daar moet Tim lang en diep over nadenken.
'Ik denk…' zegt hij, 'dat ik in dat andere land… andere ta-
len moet leren. Vreemde talen… Flevotaal!'
'Goh,' zegt Mees.
Alleen maar 'Goh'. Want hij gelooft er niks van.

De moeder van Mees is zangeres. Ze zingt opera's. Ze is beroemd. Ze kan heel hoog en ook heel laag zingen. Heel hard
en ook heel zacht. Het is prachtig.
Ze is vaak weg.

De vader van Mees doet het huishouden. Hij kookt eten en maakt schoon en hij zorgt ervoor dat Mees zijn tanden poetst en op tijd naar school gaat. Tenminste, dat probeert hij. Hij kan het niet zo goed.

Hij is altijd thuis.

Meestal in de keuken.

Als Mees thuiskomt uit school is papa aan het telefoneren. De telefoon staat ook in de keuken. Papa praat Engels. Mees zwaait naar hem.

'Dag lieverd,' zegt papa.

Dan praat hij verder in het Engels. Mees gaat aan de grote tafel zitten. Onder het tafelblad is een la. Mees trekt de la open en schuift hem weer dicht.

'Tim gaat verhuizen,' zegt hij.

Maar papa praat Engels en luistert niet. Mees trekt de la weer open. Daar ligt het rode zakmes van papa. Mees pakt het en trekt het grote mes uit. Er zit ook een klein mes in, en een blikopener – het is een mooi zakmes.

Papa legt de hoorn op de telefoon. Het gesprek is afgelopen. Papa loopt naar het aanrecht en begint bietjes schoon te maken.

'Hoe was het op school?' vraagt hij.

'Leuk,' zegt Mees.

'Mooi zo,' zegt papa.

'Tim gaat verhuizen,' zegt Mees.

Maar dat hoort papa niet. De telefoon gaat.

'Dat is al de zevenendertigste vandaag,' zegt papa. 'Ze willen allemaal tegen mama zeggen dat ze zo mooi kan zingen.'

Hij neemt op. Een straaltje bietensap druipt langs de telefoon. Papa praat weer in een vreemde taal. Dit is geen Engels. Wat het wel is, dat weet Mees niet.

Mees duwt het grote mes langzaam terug het zakmes in. Hij legt zijn vinger onder het grote mes. Dat is niet gevaarlijk. Als je het voorzichtig doet, kan er niks gebeuren.

Papa legt de hoorn op de telefoon.

'Tim gaat verhuizen,' zegt Mees.

'Blijf van dat mes af!' schreeuwt papa. 'Hoe vaak heb ik je dat nu al niet gezegd...? Als je zeven wordt krijg je er zelf een. Tot die tijd wil ik geen mes in jouw handen zien!'

'Ik doe heel voorzichtig,' zegt Mees.

Papa loopt met grote stappen naar Mees toe.

'Een zakmes,' zegt Mees, 'is helemaal niet...'

'Ik wil het woord *zakmes* niet meer horen!' schreeuwt papa.

Hij grijpt het zakmes. Het grote mes snijdt in de vinger van Mees.

Ai!!!

Mees kijkt en ziet een snee. Heel langzaam komt het bloed omhoog. Het doet pijn, maar Mees huilt niet.

'*Jij* deed het!' zegt hij.

'Wie zat hier met een zakmes te spelen?' schreeuwt papa.

Papa smijt het mes in de la en knalt de la dicht. Dan kijkt hij naar de vinger van Mees.

'Wacht,' zegt hij. 'Ik pak een pleister... Doet het erg pijn?'

'Klein beetje,' zegt Mees.

'Klein pleistertje,' zegt papa.

Hij is niet boos meer. Mees ook niet. Ze zijn nooit lang boos op elkaar. Papa plakt een pleistertje op de snee.

'Mag ik even mama kijken?' vraagt Mees.

Hij loopt naar de televisie.

'Ga je gang,' zegt papa.

Hij loopt naar het aanrecht en begint bietjes te raspen. Mees heeft de televisie al aan. Daar heb je mama! Op de video. Ze heeft haar mooiste jurk aan. Ze zingt een woest lied, ze galmt het uit en zwaait met haar armen.

'Hoi mam,' zegt Mees. 'Ik heb een pleister op m'n vinger en Tim gaat verhuizen.'

'Zo,' zegt papa. 'Waar gaat Tim heen?'

De telefoon gaat weer. Papa neemt op.

'Ja?' zegt hij. 'Nee meneer, mijn vrouw Vera is niet thuis. Ze zingt vanavond in Parijs. Belt u daar maar heen. Dag meneer.'

Papa legt de hoorn boos op de telefoon.

'Stom volk,' zegt hij tegen Mees. 'Zeggen dat ze fans zijn van mama en weten niet eens dat mama vanavond in Parijs zingt.'

'Je *hoeft* toch niet op te nemen,' zegt Mees. 'Je kunt hem toch gewoon laten rinkelen...'

'Ik hoop altijd dat het mama zelf is, die belt,' zegt papa. 'Je weet maar nooit.'

De telefoon is nu helemaal rood van het bietensap. Papa loopt terug naar het aanrecht.

'Tim zegt,' vertelt Mees, 'dat hij naar een andere school gaat en dat hij daar andere dingen moet leren. Andere talen. Vréémde talen. Flevotaal.'

'Flevotaal?' vraagt papa. 'Wat is dat nu weer voor een onzin?'

De telefoon gaat wéér.

Papa draait zich kwaad om naar de telefoon. Een glad bietje floept uit zijn hand en knalt keihard tegen de televisie. Mama's mooie jurk wordt rood van het sap.

'Oeps!' zegt papa. 'Sorry...'

Hij gooit een theedoek naar Mees.

'Weet je wat ik doe?' zegt papa. 'Ik neem *niet* op. Ik laat die telefoon gewoon rinkelen...'

Mees begint de televisie te poetsen. Het gezicht van mama maakt hij heel voorzichtig schoon. Mama zingt dwars door de theedoek heen. Papa kruipt onder de grote tafel. Hij zoekt het bietje.

'Tim moet op die andere school gewoon leren lezen,' zegt hij, 'en rekenen... Net als jij op deze school.'

Mees knikt; hij had het wel gedacht.

Papa komt weer te voorschijn. Hij heeft het bietje gevonden. Het bietje is vies geworden. Het zit onder het stof en er kleven haren aan. Het is een zéér vies bietje. Papa kijkt er verdrietig naar.

'Zal ik een broodje voor je maken?' vraagt hij.

Mees knikt. Dan maar een broodje.

De volgende dag zegt Tim het zelf.

'Ik heb het aan mijn moeder gevraagd,' zegt hij. 'En die zei het ook. Ik moet op die andere school gewoon rekenen en lezen, net als hier… Ik zal toch maar mijn best gaan doen.'

Hij lacht.

'Het was wel leuk,' zegt Mees. 'Van die vreemde talen.'

'Misschien,' zegt Tim, 'zijn er scholen waar je de taal van de dieren kunt leren.'

'Ha!' lacht Mees. 'De taal van de poezen… Miauw.'

'De taal van de muizen!' roept Tim. 'Piep-piep…'

'De taal van de krokodillen!' schreeuwt Mees. 'Grauw…'

'Of,' zegt Tim, 'de taal van de kippen… Tók-tók-tók, de kip zit in het hók…'

'Ja,' juicht Mees, 'aan een boom zit een tók, en de meester is zók.'

Want de meester van de zesde groep is ziek.

'Nee, wacht es,' zegt Tim, 'als je het zo doet, dan moet je voor alles een "ó" zeggen… Dan moet je zeggen: ón ón bóm zót ón tók, ón dó móstór ós zók!'

Dat is een prachtige uitvinding, dat is de taal van de kippen! De hele dag zeggen de jongens een 'ó' in plaats van een 'ie' of een 'aa' of een 'ui'. De hele dag, dó hóló dóg…

Ze schateren het uit.

Na een paar weken kunnen Mees en Tim de taal van de kippen goed spreken en ook al een beetje schrijven.

Van juf moeten ze schrijven: *de pijl gaat naar dop*, maar ze schrijven: *do pol got nor dop*… Ze moeten schrijven: *nies gaat naar de pijl*, maar ze schrijven: *nos got nor do pol*…

13

Ze gluren bij elkaar in de schriftjes en ze zien dat ze precies hetzelfde schrijven. Ze giechelen geweldig.

Opeens daalt de vinger van juf op het schrift van Mees neer.

'Wat is dit, Mees Grobben?'

Mees durft juf niet aan te kijken. Tim durft het ook niet. De vinger van juf komt nu op het schrift van Tim.

'En meneer Tim... Wat is dit?'

Mees en Tim kijken naar de vinger van juf en zeggen niks.

'Hebben jullie,' vraagt juf, 'afgekeken bij elkaar?'

En dan, helemaal per ongeluk, ze kunnen er echt niets aan doen, zeggen Mees en Tim, precies tegelijk: .

'Nó jóf!'

Het ergste is, dat ze hun lachen niet kunnen houden. Ze stikken er bijna in.

Juf is vaak kwaad, maar zo kwaad als nu... nee, zo kwaad is ze nog nooit geweest.

'En nu is het afgelopen!' schreeuwt ze. 'Jij, Tim, jij pakt je spullen en verhuist naar voren. Daar, vlak bij mijn tafeltje. Kan ik je goed in de gaten houden... Jij, Mees, blijft hier zitten. Maar bedenk dat ik scherpe ogen heb.'

Tim begint de spulletjes uit zijn kastje te halen. Juf loopt naar voren.

'Maanden doe ik mijn best,' moppert ze, 'om jullie wat bij te brengen... En wat doen jullie? Flauwekul uithalen!'

Mees is vreselijk geschrokken. Hij kijkt naar zijn schrift: *nos got nor do pol*, leest hij.

Dan hoort hij snikken. Mees kijkt op. Huilt Tim?

Nee, Tim staat juist heel gekke gezichten te trekken. Alsof hij niezen moet.

En Mees begrijpt het. Tim moet nog steeds vreselijk lachen. Goed van Tim! Dat hij *niet* geschrokken is! Voorzichtig begint Mees ook weer te grijnzen.

In het speelkwartier zitten ze weer naast elkaar.

'Kijk,' zegt Tim. 'Kók.'

Hij wurmt iets uit zijn zak. Het is een zakmes. En wat voor een! Het lijkt precies op het zakmes van papa, het is net zo rood, maar er zit véél meer in…! Tim laat alles zien: een groot mes, een klein mes, een kurketrekker, een blikopener, een flesopener, een schaartje, en zelfs een vergrootglas.

'Van m'n buurman gekregen,' zegt Tim. 'Vón món bórmón… Omdót ók gó verhuizen. M'n buurman is kapitein op een schip. Hij heeft het meegenomen uit een ander land. Het is zeldzaam, hoor!'

'Ga je…' vraagt Mees.

Hij kan het niet geloven. Ja, hij *kan* het wel geloven, maar hij *wil* het niet geloven.

'Verhuizen,' zegt Tim. 'Morgen.'

'Morgen al?'

'Morgenochtend,' zegt Tim. 'Heel vroeg.'

Mees en Tim hebben alletwee opeens geen zin meer om de taal van de kippen te spreken. Eventjes niet. Want morgen, en vooral morgenochtend vroeg, dat is heel dichtbij…

'Mag ik het vasthouden?' vraagt Mees.

Tim geeft Mees het mes. Mees bekijkt de glinsterende dingen die uit het zakmes steken. Hij probeert heel voorzichtig een stukje van z'n duimnagel af te knippen met het schaartje.

'Jemig,' zegt hij. 'Als mijn vader me met zo'n mes ziet, dan zwaait er wat.'

'Doe weg, gauw!' waarschuwt Tim. 'Juf…!'

Juf heeft helemáál een hekel aan zakmessen, nog erger dan papa. Dat weet Mees. Juf loopt vlak langs de jongens. Haar rok waait in hun gezichten. Mees en Tim kijken vreselijk braaf.

Dan gaat de bel. Ze springen op en rennen naar binnen.

Mijn vriendje gaat weg.
Naar een andere stad.
Hij gaat verhuizen.
Hoe vind je dat?

Mijn vriendje gaat weg.
Ik vind het gemeen.
Hij gaat verhuizen.
Hij laat me alleen.

Mijn vriendje gaat weg.
Hij gaat al heel vlug.
Hij gaat verhuizen.
Hij komt nooit meer terug.

Die middag, na school, is het heel gek. Mees staat tegenover Tim. Tim staat tegenover Mees, en ze weten allebei
niet wat ze moeten doen. Misschien moeten we elkaar een
hand geven, denkt Mees, zoals grote mensen doen als ze bij
elkaar weggaan. Maar dat durft hij toch niet goed.
'Dag Tim,' zegt Mees.
'Dag Mees,' zegt Tim. 'Dóg Mós.'
'Dóg Tóm,' zegt Mees.
Ze kijken elkaar nog even aan. Dan draaien ze zich om,
precies tegelijk, en zo hard ze kunnen rennen ze naar huis.
Ieder naar zijn eigen huis.
Mees naar het huis waar zijn vader op hem zit te wachten, met thee en koekjes. Tim naar het kale, lege huis waar
de theepot en de koekjestrommel al in een grote, houten
kist gepakt zijn.

Papa zit aan de grote tafel in de keuken. Hij is aan het werk.
Op de tafel liggen een heleboel brieven. Brieven van mensen die *fan* zijn van mama, bewonderaars… Ze schrijven
hoe goed ze mama vinden en ze vragen om een handtekening. Zo beroemd is mama. Maar mama heeft geen tijd om
al die handtekeningen te schrijven en op te sturen. Mama
moet zingen! Overal…
Daarom schrijft papa de handtekeningen. Naast de brieven liggen een heleboel foto's van mama. Daar zet papa de
handtekeningen op: *Vera* – met mooie zwierige letters. Papa kan het heel goed. Naast de foto's liggen witte enveloppen. Daar stopt papa de foto's met de handtekeningen in. Zo
werkt dat. Mees komt binnen en stoot per ongeluk de stapel enveloppen van tafel.
'Hee, hee!' roept papa. 'Kijk uit wat je doet.'
Mees geeft papa een kus en raapt de enveloppen van de
vloer.
'Tim gaat verhuizen,' zegt hij.
'Ja,' zegt papa. 'Zoiets had je al eens gezegd. Hij gaat toch
naar Flevoland?'

Mees knikt. Dat was het, denkt hij: Flevoland...

'Ik dacht dat hij al lang weg was,' zegt papa. 'Wat een boel brieven, hè....? Iedereen houdt van mama.'

'Ik ook,' zegt Mees.

'Nou, ik ook,' zegt papa.

'Mag ik even mama kijken?' vraagt Mees.

'Natuurlijk, lieverd.'

Papa schenkt thee in en pakt de koekjestrommel. Mees zet de televisie en de video aan. Hij spoelt de band door. Hij zoekt een heel speciaal lied. De telefoon gaat. Papa neemt op.

'Ja?' zegt hij. 'Nee meneer, ze is niet thuis. Ze zingt vanavond in Heerenveen... Wat? Ja, ik zal het doen.'

Papa legt de hoorn op het toestel. Hij kijkt naar Mees. Die spoelt nog steeds de videoband door.

'Wat doe je?' vraagt papa.

'Ik zoek dat lied waar mama me een kusje geeft,' zegt Mees.

'Wacht even,' zegt papa. Hij tuurt naar de televisie. 'Ja! Ho! Dat zit in dit lied.'

Mees zet de video op 'play'. Hij kan alles zelf. Hij kijkt ook zó vaak naar mama. Hij gaat op de bank zitten. Mama zingt met haar laagste stem. Heel zacht... Straks gaat ze Mees een kusje geven.

'Dat kusje is toch echt voor mij?' vraagt Mees.

'Alleen voor jou,' zegt papa.

'Tim had een knoeper van een zakmes,' zegt Mees.

Papa zet een beker thee bij Mees neer en legt er een pennywafel naast.

'Mees,' zegt hij streng, 'wat had ik gezegd over zakmessen?'

Mees zegt niks. Het kusje komt al bijna. Mama zingt nóg zachter nu, en opeens... geeft mama een kusje. Een verschrikkelijk lief kusje.

Het is alleen voor Mees.

18

Die avond kleedt Mees zich uit. In zijn kamer. Hij maakt de knoop van zijn broek los en zijn broek glijdt, roetsj, langs z'n benen naar beneden. Er klinkt een doffe bons op de vloer. Er zit iets zwaars in zijn broekzak...

Mees bukt zich. Hij steekt zijn hand in de zak. Hij voelt iets. Hij haalt het te voorschijn.

In zijn hand houdt hij een zakmes.

Een prachtig rood zakmes.

Het zakmes van Tim...

Papa komt naar boven, zijn voeten stampen de trap op. Mees stopt het zakmes snel terug in zijn zak en begint zijn broek weer omhoog te sjorren. Papa doet de deur open en kijkt om de hoek.

'Ben je je aan het áánkleden?' vraagt hij lachend.

Hij tuit zijn lippen. 'Nachtkusje?' vraagt hij.

Mees loopt naar papa toe. Hij houdt zijn broek stevig vast.

'Zware broek?' vraagt papa. 'Geef maar op... Ik zal hem even wassen.'

'Nee,' zegt Mees snel. 'Nee, eh... Straks misschien. Ik gooi hem wel de trap af. Er *is* iets met de broek...'

'Ach... Nee toch, Mees? Een ongelukje?'

Mees krijgt een rood hoofd. Nu denkt papa dat hij in zijn broek geplast heeft!

'Natuurlijk niet!' zegt hij boos.

'Rustig maar,' zegt papa. 'Ik dacht alleen...'

'Nou ja,' zegt Mees. 'Ik moet je tóch iets vertellen.'

'Hoeft niet, lieverd,' zegt papa. 'Gooi jij die broek straks maar naar beneden, dan was ik hem en dan heb ik nergens wat van gemerkt. Dat beloof ik... Kusje voor de nacht?'

Mees kust papa en papa kust Mees. Papa doet de deur dicht en stampt de trap weer af. Nu denkt papa tóch dat ik in mijn broek geplast heb, denkt Mees.

Hij schopt zijn broek kwaad in een hoek. Het zakmes in de zak knalt met een doffe bons tegen de muur.

Het lege huis

Mees droomt.

Er zijn politiemannen in zijn droom. Wel honderd. Of zijn het zeekapiteins? Ze hebben platte petten op hun hoofden en gouden strepen op hun mouwen. En allemaal, alle honderd, hebben ze een zakmes in hun hand. Een groot, rood zakmes. Ze hebben harde stemmen. Ze roepen:

'Mees Grobben, hoe kom jij aan dit zakmes?'

Ze roepen het allemaal tegelijk:

'Mees Grobben, hoe kom jij aan dit zakmes?'

De kapiteins beginnen te zweven. Of zijn het soldaten? Heel langzaam komen ze los van de grond. Ze zweven omhoog, als vliegers zonder touw. Hoger, steeds hoger vliegen ze. En als Mees ze bijna niet meer kan zien, roepen ze:

'Hier is het bewijs!'

Hun hoofden zijn verschrikkelijk ver weg, hun uniformpjes zijn piepklein, maar hun stemmen zijn nog heel dichtbij:

'Hier is het bewijs!'

Uit de hemel regent het zakmessen, grote rode zakmessen. Mees slaat zijn handen voor zijn ogen. Met een enorm geraas vallen de messen vlak voor hem op de grond.

Mees wordt wakker van het geluid.

Naast zijn bed, op de vloer, ligt het zakmes van Tim. Mees heeft door zijn droom zo liggen woelen, dat het mes op de grond is gevallen. Hij had het gisteren onder zijn kussen verstopt. Dat is dus niet zo'n goede plek.

Mees klimt uit bed. Het is al ochtend, er schijnt licht door de gordijnen. Beneden zingt en rommelt papa in de keuken. Mees heeft haast. Verschrikkelijke haast...!

Het mes moet terug naar Tim! Het *moet*! Tim gaat vandaag verhuizen. Heel vroeg... Daarom heeft Mees zo'n haast. Het licht schijnt al door de gordijnen, en beneden zingt en rommelt papa in de keuken. Misschien is het al laat. Té laat...

Mees rent naar zijn wastafel. Hij zet de koude kraan wijd open. Het water spettert hard, papa moet het beneden goed kunnen horen. Mees rent naar zijn stoel en begint zich aan te kleden. Hij maakt proestende geluiden. Kan papa horen hoe goed hij zich wast. Maar hij wast zich niet. Hij schiet in zijn kleren, rent terug naar de wastafel, draait de kraan dicht en peutert met zijn vinger de slaap uit zijn ooghoeken.

Dat is genoeg voor vandaag.

Mees kijkt in de spiegel. Niks bijzonders. Hij ziet er heel gewoon uit. Hij lijkt niet op een dief. Hij steekt het zakmes van Tim diep in zijn broekzak en rent de trap af.

Papa is druk bezig. Hij lijkt wel een kangoeroe, zo vrolijk springt hij heen en weer tussen de dampende koffiepot op het aanrecht en de koekepan met spetterend spek op het fornuis, en hij brult een van mama's mooiste liedjes zó vals – dat kan alleen een kangoeroe.

'Hoe laat is het?' vraagt Mees.

'Krankzinnig vroeg,' zegt papa.

De tafel is gedekt voor drie: drie borden, drie kopjes, drie glazen sinaasappelsap. Gadverdamme! denkt Mees. Nu is mama eens een keertje thuis, en nu moet ik weg! Maar het moet echt...! Als ik opschiet is Tim misschien nog niet verhuisd!

'Ik ga nog even buiten spelen,' zegt Mees. 'Voor ik naar school ga...'

Papa neemt een ei uit een doos, maakt een rondedansje

door de keuken, en tikt het eitje stuk op de bovenkant van de televisie. Hij tikt veel te hard! Het eigeel druipt langs het beeldscherm. Papa staat er beteuterd naar te kijken.

'Ook goedemorgen,' zegt hij. 'Ben je al gewassen?'

'Ja,' zegt Mees.

Papa begint de televisie schoon te wrijven met een theedoek.

'Tanden gepoetst?'

Mees knikt, hij durft niet hardop 'Ja' te zeggen.

'Eerst gaan we gezellig ontbijten,' zegt papa.

'Maar het is belangrijk!' roept Mees.

'Dan moet je *juist* ontbijten,' vindt papa.

De telefoon gaat. Papa neemt op.

'Ja?' zegt hij. 'Moet u nou eens horen, meneer. Mijn vrouw is vannacht om drie uur thuisgekomen. Na een prachtig optreden. En nu slaapt mijn vrouw uit. Vindt u dat wel goed? Mag ze dat wel van u? Ja? Fijn zo... Nou, LAAT HAAR DAN OOK SLAPEN!!!'

Vader kwakt de hoorn op het toestel.

Mees sluipt de keuken uit, de gang in. Hij hoort nog dat zijn vader vraagt:

'Zo Mezeman, zal ik wat kaas smelten op je eitje?'

Hij hoort de stem van zijn moeder nog, die van boven roept:

'KOFFIE!'

Dan sluipt hij naar buiten. Hij trekt de deur zacht achter zich dicht.

Mees rent door lege straten. Het is echt nog heel erg vroeg. De mensen slapen nog of staan onder de douche. Mees rent door smalle steegjes langs achtertuinen, hij springt over hekjes, kruipt door heggen... Hij kent de weg, de kortste weg, de kortste weg naar Tim. Hij rent een tuinpad op, hij rent en rent, dan blijft hij staan. Hij staat stil. Voor een huis...

Het huis is leeg. Je ziet het aan alles. Geen gordijnen voor de ramen en… en… Je ziet het niet alleen, je *voelt* het ook: dit huis is leeg. Het is het huis van Tim.

Mees belt toch aan. Je weet maar nooit. Misschien zijn alle spullen al verhuisd, maar Tim en zijn ouders nog niet. Het geluid van de bel galmt door het huis. Nu *hoort* Mees ook dat het huis leeg is. Naast de bel zitten twee schroefgaatjes in de deur. Daar heeft het naambordje gehangen. Ook weg. Tim is *echt* verhuisd. Mees drukt nog een keer op de bel. Niemand doet open.

Mees vist het zakmes uit zijn broekzak. Misschien, denkt hij, zijn ze iets vergeten en komen ze hier nog één keertje terug. Om het op te halen. En dan… vinden ze meteen het mes. Hij duwt het mes van Tim door de brievenbus. Het lukt niet. Want als hij tegen de klep van de brievenbus duwt, zwaait de hele deur open…!

Hij kan naar binnen!

Snel gluurt Mees om zich heen. Er is nog steeds niemand op straat. Hij haalt diep adem en stapt over de drempel het huis in. Hij doet de deur achter zich dicht. Nu de trap op…

Mees is hier wel eens geweest. Niet vaak, maar hij weet toch precies waar Tims kamertje is. Daar. De deur staat open.

Op de grond ligt een veertje naast een stompje potlood. Op het behang zijn donkere plekken. Daar hebben kasten gestaan. Of er hebben platen gehangen. Die zijn nu weg. Er hangen nog een paar foto's van dieren. Die zijn vastgelijmd op de muur. Tim heeft ze niet los kunnen krijgen. Hij heeft het wel geprobeerd. Hij heeft aan de hoekjes gepeuterd. Maar het is niet gelukt.

Boven de plek waar vroeger het bed van Tim stond hangt een tekening. Ook vastgelijmd. Er zijn twee poppetjes getekend. Onder het ene poppetje staat 'Tom', onder het andere poppetje 'Mos'.

Mees raapt het stompje potlood van de vloer en loopt naar de muur. Op het behang schrijft hij een brief. Een brief aan Tim. Mees schrijft:

tim ik hep j mes
mees

Misschien, denkt Mees, is Tim écht iets vergeten en komt hij hier echt om het op te halen. Dan kan hij meteen de brief lezen. Dan snapt hij alles…

Maar nu wil Mees zo snel mogelijk weg uit dit huis. Misschien komen er straks al nieuwe mensen, die hier gaan wonen. Die mogen hem niet zien. Hij loopt snel Tims kamertje uit, de gang op. En dan… Mees' hart springt naar zijn keel en gaat daar tekeer als een vis in een net.

Daar stáát iemand…!

In de gang staat een jongen… Maar opeens ziet hij wie die jongen is. Hij is het zelf. Op een deur in de gang hangt een spiegel. In die spiegel ziet Mees zichzelf. Hij staat te trillen op zijn benen. Hij ziet het in de spiegel en hij voelt het in zijn benen.

Mees rent de trap af, het huis uit, de straat op.

Hij vlucht.

Het is druk geworden in de wereld. Mees loopt door een straat met winkels. Mannen en vrouwen doen boodschappen. Zou de school al begonnen zijn? Zou juf weer zo woedend worden als hij te laat komt? Misschien snapt ze het als Mees alles vertelt. Van Tim, van het mes, van het lege huis… Zou ze dan niet kwaad worden? Als ze het snapte? *Zou* ze het wel snappen?

Vragen… Allemaal vragen… Vragen heeft Mees genoeg. Hij heeft alleen geen antwoorden.

'Pas op!!!' roept een stem achter hem.

Mees kijkt om zich heen. Hij staat midden op een drukke weg en heel dichtbij komen auto's aangereden! De bestuurders trappen op de rem, de banden schuiven gierend over het asfalt. Snel rent Mees terug. Met een grote sprong komt hij op de stoep. Gelukkig maar.

'Het voetgangerslicht stond op *rood*!' zegt de stem boos.

24

Dit zijn toch niet
de voeten van een dief,
de knieën van een dief?

Dit zijn toch niet
de handen van een dief,
de nagels van een dief?

Een dief is iemand,
iemand die iets heeft
wat iemand anders,
iemand anders had.
En heeft hij 't niet gekregen,
en ook niet gevonden,
dan heeft hij het gejat...
Dan heeft hij het gejat.

Dit zijn toch niet
de schouders van een dief,
de ellebogen van een dief?

Dit zijn toch niet
de ogen van een dief,
de ogen van een dief?

Ben ik een dief?
Ben ik een dief?

Mees doet nog een paar grote stappen achteruit. Hij loopt tegen een boodschappenkarretje aan. De kar valt om en alle spullen rollen over de stoep.

'Lummel!' roept de stem. 'Raap op!'

De stem is van een oude vent met een kwaaie kop. In zijn knuist heeft hij een wandelstok. De stok wijst naar de boodschappen, die op de stoep liggen.

Mees zet het karretje overeind. Hij heeft een vuurrood hoofd gekregen. Hij gaat op zijn knieën tussen de boodschappen zitten. En dan... en daar... vlak voor zijn neus... op de drukke weg... daar davert een grote verhuiswagen voorbij!

Burdens Verhuisbedrijf Almere Flevoland staat er op. Maar Mees ziet de letters niet. Mees kijkt met open mond naar het gezicht achter een van de raampjes. Is dat...? Mees weet het bijna zeker, dat is...

'Hee!' zegt de oude vent. 'Komt er nog wat van?'

Mees kijkt de verhuiswagen na tot hij in de verte verdwijnt.

'Zag u die verhuiswagen?' vraagt Mees.

De oude knikt. Hij kijkt nog steeds kwaad.

'Zag u ook wie erin zat?' vraagt Mees.

'Nee,' zegt de oude. 'Wie dan?'

'Ik weet het ook niet,' zegt Mees. 'Maar ik dacht...'

'Lelijke vlegel!'

Oei! Wat is die oude vent opeens weer kwaad.

'Eerst gooi je al mijn boodschappen over straat,' schreeuwt hij, 'en nu begin je me ook nog voor de gek te houden!'

Hij port Mees gemeen met de wandelstok in z'n zij.

'Niet waar!' roept Mees. 'Maar die jongen in die verhuiswagen; ik dacht...'

'Jij dacht,' schreeuwt de oude en hij port nog eens stevig, 'dat je oude mensen voor de gek kon houden!'

'Nee!' zegt Mees. 'Ik dacht dat het mijn vriendje was... Tim!'

26

'Zo kan het wel weer,' zegt de oude. 'Hup! Raap m'n spulletjes op…!'

Mees begint de boodschappen terug in de kar te stoppen. Het is nog een moeilijke puzzel. Het lijkt of er meer *uit* het karretje is gekomen dan er *in* kan. Als de kar helemaal vol is, zit Mees nog met een zak chips in zijn hand. De zak is door de val een beetje open gescheurd. Snel propt Mees een handje chips in zijn mond. Daar wordt de zak kleiner van, dan past hij misschien wel in de kar. Nog een handje… De ouwe vent kijkt naar beneden en ziet Mees kauwen.

'Jij vuile dief!' schreeuwt hij.

Hij zwaait vervaarlijk met zijn wandelstok en probeert Mees te slaan. Maar dat lukt hem niet. Mees rent ervandoor. Pas als hij drie straten verder is durft hij langzamer te gaan lopen. Hij vergeet de oude man meteen. Hij denkt aan de verhuiswagen. In gedachten ziet hij hem weer langsrijden: de grote verhuiswagen met het kleine gezicht achter een van de raampjes. Mees weet het zeker. Dat gezicht was het gezicht van Tim.

Mees begint weer te rennen.

Hij gaat alles aan juf vertellen.

Nog hijgend van het rennen komt Mees de klas in.

'Mees!' zegt juf, 'Nu ben je wéér te laat!'

'Juf…' hijgt Mees.

'Wil je, zegt Juf met haar ijskoude stem, 'zo beleefd zijn om "Sorry" te zeggen en me uitleggen waaróm je zo laat bent?'

Mees trekt het zakmes van Tim uit zijn zak.

'Juf, dit mes…' zegt hij.

Hij wil het hele verhaal gaan vertellen. Maar dat lukt niet. Want juf wil het niet horen.

'Mees Grobben!' zegt ze. 'Wat heb ik…'

'Het is niet van mij!' schreeuwt Mees.

'Niks mee te maken,' schreeuwt juf terug. 'Geef hier dat mes!'

27

'NEE!!!' schreeuwt Mees. En hij fluistert: 'Het is niet van mij, het is van… Tim.'

'WAT?!?' brult juf. 'Wát zei jij, Mees Grobben?'

Mees zegt niks meer. Had hij maar helemáál niks gezegd, had hij zijn mond maar gehouden. Nu denkt juf dat hij het mes gestolen heeft. Van Tim…

Maar juf heeft niet gehoord wat hij fluisterde. Ze heeft alleen gehoord dat hij 'Nee' schreeuwde. Daarna hield ze meteen op met luisteren.

'Zei jij "Nee", Mees Grobben?!?'

Juf stapt naar Mees toe en grist het zakmes uit zijn hand.

'Vinden je ouders het goed,' vraagt juf, 'dat jij met zulke messen rondloopt?'

Mees schudt langzaam zijn hoofd.

'En komen jouw ouders,' vraagt juf, 'weleens op school, op een ouderavond?'

'Mama niet,' fluistert Mees.

'En je vader?'

Mees knikt.

'Dan zal ik het met hem bespreken,' zegt juf. 'Tot dan blijft dat mes hier.'

Ze stapt naar haar tafel toe. Onder háár tafelblad zit ook een la. Die trekt ze open ze legt het mes er in. Dan schuift ze de la met een klap weer dicht.

Mees schrikt van de klap… Nu is hij het mes kwijt! Het mes van Tim…! Nu kan hij het nóóit meer teruggeven!!!

Hij rent naar juf toe en trekt aan haar mouw.

'Maar dat mag niet!' zegt hij. 'Ik moet dat mes hebben…!'

Juf draait zich om. Zó snel, het lijkt alsof Mees haar gebeten heeft, en niet aan haar mouw heeft getrokken.

'Naar de gang!' krijst ze. 'Ga daar maar eens even afkoelen, heethoofd! En je blijft daar tot je weer normaal kunt doen.'

Mees zegt niks meer. Het helpt toch niks. Hij loopt de klas uit en gaat in de gang staan. Afkoelen… Nou, dat kan lang duren.

28

Juf gaat verder met de les.

'Goed,' zegt ze. 'We hebben dus de tuinslak mét huisje en de wegslak zónder huisje. Wat doen tuinmannen als ze slakken zien? Wat denk je? Zijn ze dan blij?'

'Nee!!!' brullen de kinderen braaf.

Mees gluurt de klas in. Hij ziet zijn eigen bank en de bank ernaast. Daar zat Tim. Hij denkt aan de verhuiswagen, hij denkt aan het lege huis, hij denkt aan het briefje op de muur:

tim ik hep j mes...

Ik heb je mes niet meer, denkt Mees.

Na schooltijd rent Mees naar het huis van Tim. Hekjes, heggen, smalle steegjes, achtertuinen, tuinpad... Bij de deur gluurt hij nog even om zich heen. Dan gaat hij naar binnen.

De nieuwe mensen wonen er nog niet. Snel gaat Mees de trap op, de kamer van Tim in. Daar staat zijn brief nog op het behang en die brief moet weg.

Mees raapt het stompje potlood van de grond en loopt ermee naar de muur waarop de woorden staan. Hij moet ze doorstrepen, dik, dik doorstr...

Ergens in het lege huis rinkelt een telefoon!

Eerst schrikt Mees geweldig. Maar een telefoon is niet echt gevaarlijk natuurlijk. En héél misschien...

Mees loopt de gang op. Hij luistert goed. Het geluid komt van achter de deur met de spiegel. Mees doet de deur open. In deze kamer staat alleen nog een telefoon. En die rinkelt. Mees neemt op.

'Ja?' zegt hij.

'Tim?' zegt een stem.

'Tim?' vraagt Mees.

Kan dit waar zijn? Mees is heel even zó blij, dat hij niet goed luistert. De stem aan de andere kant praat verder.

'Ben jij het, Tim?' vraagt Mees. 'Ben je het echt?'

29

'Bén jij wel Tim?' vraagt de stem aan de andere kant.

'Nee,' zegt Mees. '*Ik* ben Tim niet!'

'Wie ben jij dan?'

'Ik ben Mees.'

'En waar is Tim dan?'

'Die is verhuisd.'

Mees heeft geen zin meer om verder te praten. De stem aan de andere kant is de stem van een mevrouw, dat hoort hij nu wel. Een vreemde mevrouw. Maar hij heeft de telefoon opgenomen, dus hij *moet* verder praten. Dat is wel zo beleefd.

Hij vertelt de mevrouw dat Tim die ochtend verhuisd is. Die ochtend heel vroeg. Naar Flevoland. De mevrouw vraagt of Mees de groeten wil doen aan Tim en zijn ouders. De groeten van tante Sylvie. Mees zegt dat hij dat wel wil.

Ik wil het wel, denkt hij, maar ik *kan* het niet. Maar dat zegt hij niet.

'Dag,' zegt hij.

'Dag,' zegt de mevrouw.

Mees legt de hoorn op het toestel.

Hij loopt terug naar de slaapkamer van Tim en scheurt zijn brief van de muur. Hij propt het stuk behang diep in zijn zak. Dan loopt hij de kamer uit.

Hij ziet zichzelf in de spiegel, maar hij schrikt niet. Hij steekt zijn tong uit en de jongen in de spiegel doet hetzelfde.

Papa is natuurlijk kwaad, dat had Mees kunnen raden.

'En waar heb jij gezeten?' briest papa.

Hij zit weer aan de keukentafel, achter grote stapels brieven en foto's en witte enveloppen. Hij heeft de pen in zijn hand. 'Mama is vanochtend extra vroeg opgestaan,' zegt papa, 'omdat ze jou nog wilde zien voor je naar school ging... Maar de vogel was gevlogen.'

'De juf...' zegt Mees.

'Zonder je te wassen,' zegt papa, 'zonder je tanden te poetsen. Je hebt niet eens ontbeten.'

'Ik wil...' zegt Mees.

'Je hebt niks gegeten!' roept papa.

Papa loopt naar de koelkast en pakt een blikje bier.

'Ik wil je toch wat vertellen...!' roept Mees.

'Zomaar weg...' zegt papa. 'Achter onze rug om weggeslopen. Je hebt niet eens een kopje thee gedronken.'

'Ik had geen dorst,' zegt Mees.

Papa trekt het blikje open. Veel te woest. De helft van het bier spuit tegen de televisie. Papa kan er niet om lachen. Mees ook niet.

'Ik snap het niet,' zegt papa. 'Jij vindt het toch ook leuk als mama thuis is...'

Mees knikt. Hij wordt verdrietig van binnen. Hij voelt het in zijn buik. Hij voelt het écht.

'Ik heb een beetje buikpijn,' zegt hij.

'Ik ook,' zegt papa. 'Van jou... Mama heeft ook nog heel lang op je gewacht, omdat ze je wilde zien na schooltijd... Ze heeft gewacht tot er werd opgebeld waar ze bleef...'

Dat helpt niet echt tegen de buikpijn, dat papa dat zegt. Mees sluipt de keuken uit, de trap op.

Papa dweilt het bier van de televisie.

Boven, op zijn kamertje, gaat Mees aan zijn tafel zitten. Hij trekt het stukje behang uit zijn zak. Hij strijkt het glad. Hij leest de brief:

tim ik hep j mes

Mees neemt een pen en schrijft met grote letters 'NIET' onder de brief. Zo:

tim ik hep j mes

NIET

mees

De brief

Het is gezellig in de keuken. Regen tikt tegen de ruiten. De thee staat te trekken op het lichtje. Papa schenkt water op de koffie in het filter. Papa's wangen zitten vol scheerzeep.

Mees komt net onder de douche vandaan. Zijn haren zijn nog nat. Hij zit voor de televisie. Hij heeft een bord met boterhammen op schoot en kijkt naar mama. Hij moet erg zijn best doen om mama te zien, want het beeldscherm van de televisie is verschrikkelijk vies! Maar mama *zingt* prachtig. Ze heeft lange oorbellen in.

'Is mama al wakker?' vraagt Mees.

'Nee lieverd,' zegt papa. 'Mama moet nog een paar uur slapen. Ze is gisteren weer vreselijk laat thuisgekomen.'

'Ik wil met mama praten,' zegt Mees.

'Maak maar een tekening,' zegt papa. 'Dan geef ik die straks, als ze wakker is.'

Hij loopt naar de grote tafel en geeft Mees een foto van mama. De foto is van mooi stevig papier en de achterkant is wit. Daar mag Mees op tekenen. Papa geeft hem ook een potlood.

'Ik ga me even scheren,' zegt papa.

Mees speelt een beetje met het potlood. Hij zet wat streepjes op de achterkant van de foto. Hier en daar, zomaar wat, hij let niet echt op wat hij doet. Hij kijkt meer naar de video.

'Stom!' zegt hij tegen zijn moeder op de televisie. 'Nu heeft juf het mes en dat gaat ze aan papa geven en dan hebben papa en ik weer ruzie...'

32

Een brief! Een brief,
die ga ik je nu schrijven.
Een brief! Een echte brief,
die ik ook echt verstuur.
Een brief! Een brief!
Ik post hem om acht uur...

Ik schrijf de woorden op
en stop
ze in een envelop.
Pas op!
Pas op!
De postzegel
niet op z'n kop!

Ik stop hem in
de brievenbus zijn mond.
Waar jij woont is
de brievenbus zijn kont.
Daar komt-ie uit,
ik zou maar vast gaan wachten.

Ik zou er maar
dichtbij gaan staan.
Mijn brief, mijn brief,
die komt eraan.
Ik denk...
kwart over achten.

Mama geeft geen antwoord. Dat kan ook niet. Mama zingt. Haar oorbellen zwaaien heen en weer van het zingen. Mees kijkt naar het papier op zijn schoot en ziet dat hij tóch iets getekend heeft! Hij heeft mama getekend. Het gezicht van mama, met de lange oorbellen. En een van die oorbellen is… een zakmes!

Mama is mooi getekend, vindt Mees, maar het zakmes is mislukt. Het zakmes moet anders… Mees zet het geluid van de televisie uit. Boven is het stil. Mees loopt naar de grote tafel en trekt de la open. Daar ligt het zakmes van papa. Het lijkt precies op het mes van Tim…

Dan komt papa de trap af stampen.

Mees graait het mes uit de la en propt het in zijn broekzak, samen met de tekening. Hij schuift de la dicht en rent naar zijn plekje voor de televisie. Hij heeft zijn bord met boterhammen weer op schoot als papa binnenkomt. Papa heeft nog steeds zeep op zijn wangen. Hij heeft zijn scheermes in zijn hand.

'Mezeman! Je bent al veel te laat! Sorry… Mijn schuld. Je moet naar school man. Hup! Jas aan, schoenen aan…'

Mees staat op en zet zijn bordje weg. Hij heeft opeens geen honger meer. Papa loopt naar het aanrecht.

'O, nee hè…!' kreunt papa.

Papa heeft veel te veel water in het koffiefilter gegoten. Het hele aanrecht is bruin en kletsnat van de koffie. Papa neemt het filter van de pot en loopt ermee naar de afvalemmer.

'Waarom,' snikt papa, 'gaat alles in deze keuken toch altijd mis?'

Papa snikt niet echt, hij is juist vrolijk. Hij doet de dans van de treurige clown. Zijn neus steekt roze uit de zeep.

'Waarom?' snikt papa.

Hij heft zijn handen hoog en hoeps! – daar vliegt de koffieprut uit het filter, zo door de keuken en flats! tegen de televisie. Mama is opeens onzichtbaar. En onhoorbaar. Want

Mees is vergeten het geluid weer aan te zetten. Dikke bruine prut zakt langs het beeldscherm.

Papa knielt neer voor de televisie.

'O, mijn lieve,' zingt hij. 'O, mijn lieve...'

Hij begint met zijn scheermes de televisie schoon te krabben.

'Ik ga even gluren,' zegt Mees, 'of mama al wakker is.'

'Nee!' roept papa. 'Kom op nu toch! Jas aan, laarzen aan en hup!'

Maar Mees stormt de trap al op. Mama is wakker. Mees springt in het grote bed.

'Mag ik vandaag thuisblijven?' vraagt hij.

'Nee, lieverd,' zegt mama. 'Ik moet vanmiddag al weer weg. Je hebt er niks aan. Ik moet douchen en m'n koffers pakken en dan snel naar het vliegtuig.'

'Je kunt toch opbellen naar school?' zegt Mees. 'En zeggen dat ik ziek ben...?'

'MEES!' roept papa van beneden.

Mama stapt uit bed en trekt haar ochtendjas aan. Ze geeft Mees een hand en trekt hem van het bed af.

'Kom.' Ze slaat haar arm om de schouder van Mees. 'Over een week ben ik terug uit Schotland.'

Ze lopen samen de trap af.

'Ik mag toch wel één dag schoolziek zijn!' zegt Mees. 'Dan gaan we met z'n drieën naar de dierentuin...'

'Papa staat al te wachten,' zegt mama. 'Je bent erg laat.'

Ze knuffelt Mees stevig. Mees knuffelt zo goed mogelijk terug. Dan stapt hij in zijn laarzen en schiet in zijn jas. Papa geeft hem twee dikke zoenen. Nu zitten de wangen van Mees ook onder de scheerzeep.

'Wat ben je opeens wit!' zegt papa verbaasd.

'Je hebt je nog steeds niet geschoren,' zegt Mees.

'Het moet ook niet erger worden,' zegt papa. 'Nog steeds niet geschoren...'

Hij lacht. Mama lacht mee. Mees lacht het hardst van allemaal. Papa veegt de wangen van Mees schoon en geeft Mees een klein kusje op de punt van zijn neus. Mees veegt zijn neus af. Hij loopt naar de buitendeur. Daar draait hij zich nog even om. Hij zwaait naar mama. Mama zwaait terug. Dan loopt Mees naar buiten. Hij struikelt bijna over de stapel brieven op de mat. Brieven voor mama.

Mees is precies op tijd. Juf doet de deur al dicht, maar Mees kan nog net de klas in glippen. Hij gaat op zijn plaats zitten.
'Zo,' zegt juf.
Ze gaat zitten op haar stoel en trekt de la onder haar tafel open. Het is de la waarin ze alle dingen legt die ze heeft afgepakt. Juf kijkt lang in de la. Het is stil in de klas. De kinderen kijken naar juf.
'Eduard?' zegt juf.
'Ja juf,' zegt Eduard.
Eduard heeft een rood hoofd en wiebelt op z'n stoel.
'Kom jij eens voor het bord...' zegt juf.
Eduard staat op en loopt naar voren.
'Eduard,' vraagt juf, 'waar is dat stripboek...?'
Vorige week had Eduard een stripboek bij zich. Mees weet het nog. Juf heeft het afgepakt. Juf houdt niet van stripboeken.
'Weet ik niet, juf,' zegt Eduard.
Juf gaat staan. Ze houdt haar hand op. Ze staat daar als een standbeeld. Een standbeeld uit een droom, zó eng, een beeld van steen met levende ogen. Mees kan er niet naar kijken. Hij slaat zijn ogen neer.
'Handen op je rug!' zegt juf.
Eduard doet zijn handen op zijn rug, het stripboek glijdt onder zijn trui vandaan en valt op de grond. Eduard raapt het op en geeft het boek aan juf.
'Dank je, Eduard,' zegt juf. 'Komen je ouders wel eens op school? Komen ze op de ouderavond?'
'Ja juf,' zegt Eduard.

'Goed zo,' zegt juf.

Ze slaat het boek open en scheurt het kapot. In tweeën, in vieren, in achten... De snippers gooit ze in de prullenbak.

'Ga maar terug naar je plaats, Eduard,' zegt juf. 'Ik zal aan je ouders vertellen waarom ik dit gedaan heb.'

Eduard loopt terug naar z'n plaats.

'Pak je boek van Jaap de Aap, Eduard...' zegt juf. 'Dat geldt ook voor de anderen.'

Mees pakt zijn boek van Jaap de Aap. Hij is bang voor wat hij straks gaat doen.

De bel gaat. Juf doet de deur van de klas open. De kinderen lopen rustig de gang in. Maar als ze in de gang zijn, beginnen ze te stoeien en te schreeuwen. Ze trekken hun jassen aan en rennen naar buiten.

Mees stoeit en schreeuwt niet mee. Hij trekt zijn jas aan, maar hij blijft binnen.

Hij wacht.

Hij gluurt naar de deur van zijn klas. Eindelijk komt juf naar buiten, ze gaat koffie drinken met de meesters en juffen van de andere groepen. Mees doet alsof hij wat zoekt in zijn jaszak. Juf loopt vlak langs hem. Ze ziet Mees niet eens. Ze gaat de hoek om. Ze is weg.

Mees glipt de klas in. Hij sluipt naar de tafel van juf en trekt de la voorzichtig open. Daar liggen de boekjes, de pistolen en het snoepgoed... Heeft juf allemaal afgepakt! En tussen het snoepgoed, de pistolen en de boekjes ligt... het zakmes. Het zakmes van Tim!

Mees grist het zakmes uit de la. Hij laat het in zijn linker broekzak glijden. Uit zijn rechter broekzak neemt hij het zakmes van papa. Dat legt hij in de la, precies zoals het mes van Tim daar lag. Tussen het snoepgoed, de pistolen en de boekjes – precies zo.

Mees gluurt om zich heen. Niemand te zien. Voorzichtig schuift hij de la weer dicht. Hij sluipt de klas uit.

Op het schoolplein begint hij pas te rennen, zo maar wat, heen en weer, heen en weer, te rennen als een gek.

Die middag staat Mees voor zijn boekenkast. Hij heeft een kleine sleutel in zijn hand. Hij trekt een paar boeken uit de kast en legt ze weg.

Achter de boeken staat een ijzeren kist.

Mees pakt de kist en zet die op zijn tafel. Het is een schatkist. Die heeft hij al heel lang, hij had alleen nog nooit een schat. Nu wel.

Hij steekt het sleuteltje in het sleutelgat en opent de kist. Uit de kist neemt hij een speeldoosje. Dat maakt hij ook open. Het begint vrolijk te tinkelen.

Op de bodem van het doosje ligt een stukje behangpapier. Het is de brief van Mees aan Tim.

Mees neemt de brief uit de speeldoos en strijkt hem glad op tafel. Dan trekt hij het rode zakmes van Tim en de foto van mama uit zijn broekzak en legt ze naast de brief. Hij draait de foto om. Op de witte achterkant staat zijn tekening: mama met een zakmes aan haar oor.

Buiten loeit de stormwind. Regen klettert tegen de ruiten. Er zijn geen mensen op straat, er vliegen geen paraplu's langs het raam.

Mees pakt een potlood en begint te schrijven. Op de achterkant van de foto, naast de tekening van mama.

Hij schrijft:

voor tim
ik hep j. mes
ik geef het trug
dat moet
ik ben j. vrient
MEES

Nu is het papier helemaal vol. Mees leest de woorden en bekijkt de tekening. Het mes aan mama's oor is écht niet goed getekend. Hij gumt het weg en tekent het opnieuw.

38

Hij kijkt naar het zakmes van Tim en tekent het na... Zo lukt het wel. De tekening is goed en de woorden zijn goed. Samen zijn ze een brief.

Mees rent naar beneden. Papa zit aan de grote tafel. Hij zet handtekeningen van mama op foto's en schuift die in enveloppen.

'Mag ik zo'n envelop?' vraagt Mees.

'Natuurlijk,' zegt papa. 'Pak maar.'

Mees pakt een mooie witte envelop.

'Hee!' zegt hij. 'Wat heb je nou?'

Papa heeft een handig apparaat met drie pennen. Als hij met één pen schrijft, schrijven de andere twee pennen hetzelfde. Zo kan papa drie handtekeningen tegelijk zetten.

'Het is een uitvinding,' zegt papa.

'Handig,' zegt Mees. 'Mag ik ook een postzegel?'

'Wil je je tekening naar mama sturen?' vraagt papa. 'Naar Schotland?'

'Nee,' zegt Mees. 'De tekening is nog niet af... Ik speel postkantoortje.'

Papa trekt de la onder het tafelblad open. Daar liggen de postzegels. En daar *hoort* ook het zakmes van papa te liggen. Maar dat ligt er niet meer, dat ligt in een andere la.

Papa neemt een vel postzegels en scheurt een zegel af. Hij merkt niks. Hij geeft de postzegel aan Mees en sluit de la.

'Je wilt later toch geen postbode worden?' vraagt papa.

'Ik mag toch zeker wel postkantoortje spelen,' zegt Mees.

'Da's niks hoor,' zegt papa. 'Postbodes moeten een pet op. En ze moeten door de regen fietsen, door de storm, door de polder, ze kunnen nergens schuilen en de boeren klagen dat hun brieven nat zijn...'

Maar Mees is alweer boven.

Hij plakt de postzegel op de envelop. Helemaal aan de bovenkant rechts. Daar hoort hij, in die hoek. Het ziet er mooi uit. Mees schuift de brief in de envelop. Hij past precies. Nu het zakmes nog. Dat is proppen. Het lukt maar net. Mees plakt de envelop dicht. Het is een pakje vol kreukels geworden. Moeilijk om op te schrijven. Mees doet zijn best, maar de punt van zijn potlood glijdt steeds van een kreukel af.

Toch komen de woorden op het papier. Op de voorkant van de envelop schrijft Mees:

aan tim
flevoland

En op de achterkant schrijft hij:

van mees
paradijslaan 17
amsterdam

Zo is het goed.

Mees rent de trap af en trekt zijn jas aan. Hij doet de voordeur open.

'Hee! Hee! Wacht eens even!'

Daar heb je papa… Zijn hoofd steekt uit de keuken.

'Het eten staat op!' zegt hij.

'Ik ga postbode spelen,' zegt Mees.

'Met dit weer?' vraagt papa.

Mees knikt. Papa schudt zijn hoofd. Hij snapt er niks van.

'Nou, ga dan maar,' zegt hij. 'We eten over een half uurtje.'

Mees rent door de regen naar de hoek van de straat. Daar hangt een brievenbus. Hij gaat op zijn tenen staan en duwt de dikke envelop in de brede mond. De tanden klepperen ervan.

Er stopt een rood bestelbusje. Een postbode stapt uit. Hij heeft een grote zak in zijn hand.

'Jij bent mooi op tijd,' zegt de postbode.

Hij houdt de zak onder de brievenbus en maakt de brievenbus open. Alle brieven tuimelen in de zak. In een flits ziet Mees zijn eigen brief uit de bus glijden. Hup! In de zak.

De postbode doet de brievenbus weer dicht, zet de zak achter in zijn busje, zwaait naar Mees en rijdt weg. Mees kijkt hem na.

Zo gaat de brief op reis naar Tim.

40

Maar...

Als Mees de volgende ochtend de trap af komt, schrikt hij van een postbode die een hele stapel enveloppen door de brievenbus naar binnen duwt. Het is een woeste witte lawine van brieven. Ze zijn voor mama, allemaal – brieven van bewonderaars. Arme papa...! Moet hij weer de hele dag handtekeningen zetten.

Mees loopt naar de deur. Hij kijkt naar buiten. Het is een andere postbode, ziet hij. Mees raapt de stapel brieven van de mat. Eén brief glijdt uit zijn handen en valt met een doffe bons op de grond. Mees kent die bons...!

Hij begrijpt er niets van. Op de mat ligt zijn eigen brief! Zijn brief aan Tim! De brief is nog dicht... Tim heeft de brief helemaal niet opengemaakt en hem zomaar teruggestuurd...! Mees raapt de zware envelop op. Er is een sticker op geplakt. Er staan twee woorden op de sticker, moeilijke woorden:

Retour afzender.

Mees propt de envelop in zijn broekzak. Met de andere brieven loopt hij de keuken in. Papa legt net de telefoon neer.

'Ze bellen steeds vroeger,' zegt hij. 'Wil je thee?'

'Wat betekent "retour afzender"?' vraagt Mees.

Mees leg de post op tafel.

'Ben je nog steeds postbode aan het spelen?' vraagt papa.

Mees knikt.

'Nou,' zegt papa, 'soms weten postbodes niet precies waar een brief naartoe moet en dan brengen ze hem terug naar de meneer of de mevrouw die de brief geschreven heeft... "Retour" betekent "terug" en de "afzender" is de meneer of de mevrouw die de brief geschreven heeft.'

'Zijn postbodes zó dom?' vraagt Mees.

Papa lacht. Hij schenkt twee koppen thee in.

'Welnee!' zegt papa. 'De ménsen zijn zo dom... Die vergeten soms op de envelop te schrijven naar welke stad de brief moet. Dan schrijven ze wel de naam, maar ze vergeten de straat of het huisnummer. Tja… Dan wordt het moeilijk.'

Papa zet een kop thee en een bord met boterhammen voor Mees op tafel.

'Dus,' zegt Mees, 'als je niet heel precies weet waar iemand woont, dan kun je hem ook geen brief sturen?'

'Tuurlijk niet,' zegt papa. 'Vind je dat gek?'

'Nee,' zegt Mees.

Hij doet een schepje suiker in zijn thee en begint te roeren. De la onder het tafelblad staat een stukje open. Mees schuift de la dicht.

Mees komt mooi op tijd op school. Hij zit al lang op zijn plaats als juf de deur van de klas dicht doet. Juf loopt naar haar tafel en gaat zitten. Ze trekt de la onder het tafelblad open. Ze kijkt er in. Dan schuift ze de la dicht.

'Mees Grobben,' zegt ze.

Mees heeft zijn brief aan Tim nog in zijn zak. Hij voelt het zakmes tegen zijn been.

'Kom eens voor het bord,' zegt juf.

Mees staat op. Hij loopt door de klas. Hij steekt zijn hand in zijn zak. Kan hij het mes meteen geven als juf erom vraagt. Hoeft juf niet zo *lang* kwaad te zijn. Mees gaat voor het bord staan.

'Handen uit je zakken!' zegt juf.

Mees haalt zijn hand uit zijn zak. In zijn hand heeft hij de brief aan Tim. De envelop met het mes. Iedereen kan het zien!

Maar juf kijkt in een boek.

'Handen op je rug!' zegt juf.

Mees verstopt zijn handen snel achter zijn rug.

'Zo,' zegt juf. 'En vertel jij me nu maar eens, Mees… Hoeveel voelhorens heeft de slak?'

'De slak,' zegt Mees, 'de slak heeft… eh…'

Hij weet het niet.

'Ik hoor het alweer,' zegt juf. 'Je weet het niet. Ga maar gauw weer naar je plaats.'

Mees is nog nooit zo blij geweest.

'Cynthia?' vraagt juf. 'Hoeveel voelhorens heeft de slak?'

Cynthia weet het wel.

De trein

De televisie is nog nooit zo vies geweest. Koffie, cola, ei, beslag en allerlei soorten groente en fruit zijn over het scherm uitgesmeerd. Mama zingt het lied met het kusje. Mees kan haar bijna niet zien. Hij zet het geluid wat harder, maar dat helpt niet. Hij ziet nog steeds bijna niets.

De telefoon begint te rinkelen. Mees neemt niet op. Het is vast weer zo'n rare fan van mama. Daar heeft hij even geen zin in. Hij pakt de trekker van het aanrecht en haalt die over het scherm van de televisie. Dat helpt een beetje, hij ziet mama's mond nu duidelijk zingen.

Papa komt de keuken binnen rennen. Te laat. Net voor hij op kan nemen houdt de telefoon op met rinkelen. Papa loopt naar de televisie en zet het geluid zachter.

'Hee!' zegt Mees. 'Ik wacht op een kusje!'

'Kusjes hoeven niet hard,' zegt papa. 'Juist niet.'

Hij gaat aan zijn tafel met enveloppen zitten en Mees krijgt zijn kusje van mama. Fijn. Hij zet de video uit. Het jeugdjournaal is bezig.

'Binnenlands nieuws...' zegt de mevrouw van het nieuws.

Mees wil de televisie uitzetten. Maar hij doet het niet. Want net op dat moment zegt de nieuwslezeres iets bijzonders.

'Koningin Beatrix,' zegt zij, 'is in Almere aangekomen om De Culturele Driedaagse Flevoland bij te wonen. Vanmorgen vroeg werd zij door duizenden mensen enthousiast ingehaald. Morgenochtend, zaterdag dus, zal zij, in aanwezigheid van alle schoolkinderen van Flevoland, het grootste poppentheater van Europa openen. Het weer...'

Er komt een kaart in beeld, met landen en wolken. Mees staart naar de kaart, maar hij ziet geen landen en hij ziet geen wolken. Hij denkt nog na over wat hij heeft gehoord. Hij kan het bijna niet geloven. De koningin is in Almere. En het is *binnenlands* nieuws, dat zei die mevrouw zelf! Dus...

'Papa...' zegt hij.

'Uh uh,' zegt papa.

Er hangt een envelop aan zijn tong.

'Ligt Flevoland,' vraagt Mees, 'in het binnenland?'

'Natuurlijk,' zegt papa. 'Flevoland ligt in Nederland. Het is een polder in Nederland. Een provincie...'

'En Almere dan?' vraagt Mees.

'Almere is de hoofdstad van Flevoland.'

'Dus...' zegt Mees.

Er komt een geweldig plan in hem op. Een plan, zó groot, dat het bijna niet in zijn hoofd past.

'Dus daar kun je gewoon heen?' vraagt hij.

'Als je dat leuk vindt,' zegt papa, 'ja, dan kan dat... *Ik moet er niet aan denken...*'

Meer hoeft Mees niet te weten. Hij loop de kamer uit, de trap op. Langzaam loopt hij, tree voor tree. Hij denkt zó diep na, dat hij zijn voeten haast niet omhoog krijgt.

Wat moet hij tegen papa zeggen? In ieder geval *niet* dat hij naar Almere gaat om Tim te zoeken. Dat vindt papa nooit goed. En gelijk heeft-ie. Wat dan? Dat hij bij een vriendje gaat spelen? Dat is liegen... Het beste kan ik maar, denkt Mees, gewoon het huis uit lopen. Zonder iets te zeggen.

Hij neemt zijn schatkist uit zijn boekenkast en zijn speeldoos uit zijn schatkist. Het deksel gaat tinkelend open. Daar liggen het mes van Tim, het behangbriefje en de brief in de envelop. Mees pakt de schatten op en steekt ze in zijn zak.

Dan keert hij zijn spaarpot om. Muntjes, geen briefjes. Mees probeert te tellen hoeveel geld hij heeft, maar hij raakt steeds in de war. Vijf stuivers zijn samen een kwartje, twee dubbeltjes en een stuiver zijn samen ook een kwartje, een dubbeltje en drie stuivers zijn samen ook een kwartje, vier kwartjes zijn dan weer een gulden samen... Je wordt er knettergek van. Vooral als je de hele poos eigenlijk aan iets anders zit te denken.

Mees denkt aan de trein. Want de trein gaat het hardst en komt overal.

Hij telt acht gulden. Het stapeltje dubbeltjes, kwartjes en stuivers probeert hij maar niet meer te tellen. Hij staat op en laat alle munten in zijn broekzak glijden. Een lekker zwaar gevoel is dat. Mees weet opeens zeker dat het zal lukken morgen. Morgen vindt hij Tim. Zeker weten. In Flevoland.

Het is zaterdagochtend, negen uur. Mees staat bij de deur van de keuken.

'Ik ga naar buiten,' zegt hij tegen papa.

'Ik ga straks naar je school,' zegt papa. 'Ik heb juf beloofd wat te helpen. Mama is er niet vandaag... Ik ben om twaalf uur weer terug.'

'Okee,' zegt Mees.

Hij loopt door de gang. Hij struikelt bijna over de stapel brieven die bij de deur ligt.

'Waar ga je eigenlijk naar toe?' roept papa hem na.

Maar daar geeft Mees geen antwoord op, dat heeft hij niet gehoord. Hij staat buiten.

Hij is op reis...!

Hij rent de straat uit, de hoek om, de volgende straat uit, de volgende hoek om, en nog een straat en nog een hoek... Daar is de bushalte. Maar aan de overkant van de straat is óók een bushalte. Aan welke kant komt de bus die naar het treinstation gaat?

Dapper zijn! denkt Mees. Dit wordt een heel bijzondere dag en op heel bijzondere dagen is het verstandig om *dapper* te zijn. Wat ik niet weet of niet snap, dat moet ik gewoon vragen.

Dat doet hij. Er staat een meneer bij de bushalte aan deze kant van de straat. Mees stapt naar hem toe.

'Meneer,' zegt hij, 'ik moet naar het treinstation. Komt mijn bus dan aan deze kant of aan de overkant?'

'Aan de overkant,' zegt de meneer. 'Kijk... daar komt jouw bus al aan.'

Mijn bus, denkt Mees. Dat klinkt goed. Hij steekt over en de bus stopt precies voor de plek waar hij staat. Goed gemikt. Mees stapt in en geeft de chauffeur de guldens die hij al een hele poos in zijn hand heeft. Ze zijn warm geworden van het vasthouden. De chauffeur geeft Mees een kaartje en nog geld terug. De bus rijdt weg. Mees valt bijna om. Snel zoekt hij een plaatsje.

Tevreden kijkt Mees naar buiten, naar de drukke straten, naar de auto's, de fietsers, de bussen, de winkelende mensen. Tot nu toe gaat alles goed.

De bus stopt voor het treinstation. Mees stapt uit. Er zijn veel mensen op het plein voor het station. Honderden mensen, duizenden mensen misschien wel... Ze lopen snel langs elkaar; het lijkt of ze allemaal haast hebben. Zouden er voor al die mensen wel genoeg plekken zijn om heen te gaan? Je hebt winkels en oma's om heen te gaan, voetbalwedstrijden en films, volkstuintjes... Maar verder? De koningin, ja... En Tim natuurlijk!

Mees heeft opeens net zo'n haast als de andere mensen. Hij rent over het plein, en dan door een grote deur het station in. Hier is het nog drukker dan buiten. De mensen rennen heen en weer of staan in lange rijen te wachten voor grote glazen ramen. Achter die ramen zitten dames kaartjes te verkopen. Daar moet ik zijn, denkt Mees. Hij gaat in een rij staan.

Veel sneller dan hij had gedacht is hij aan de beurt. De dame achter het raam kijkt hem aan.

'Zeg het es.'

'Ik wil naar Flevoland,' zegt Mees.

'Almere Muziekwijk, Almere Centraal, of Almere Buiten?' vraagt de dame.

'Almere gewoon,' zegt Mees.

'Centraal dus,' zegt dame. 'Enkele reis of retour?'

Dat begrijpt Mees niet, enkele reis of retour. Wat is dat nu weer? Iemand port hem in zijn rug. Daar staat een boze vrouw.

'Een beetje opschieten,' zegt ze.

Had ze gedacht! Mees gaat heel stevig op zijn voeten staan en kijkt weer naar de dame achter het raam.

'Een enkele reis,' zegt de dame, 'is dat je er alleen maar heen wilt, en met een retour kun je straks ook weer terug.'

'Retour,' zegt Mees.

De dame slaat toetsen aan op haar computer, Mees grabbelt in zijn broekzak. Eerst komt het mes van Tim omhoog, dan de brieven. Die legt hij op de toonbank. Dan vist hij alle munten op en legt ze klaar voor de dame. Zijn treinkaartje schuift de computer uit. De dame pakt het kaartje en kijkt naar het geld van Mees.

'Is dat al je geld?' vraagt ze. 'Dat is niet genoeg. Daar kun je geen retour voor kopen... Trouwens, weet je moeder wel dat je hier bent?'

Mees denkt na over het antwoord, maar de boze vrouw achter hem duwt hem ruw opzij.

'Ik moet een trein halen,' snauwt ze. 'Een enkeltje Maastricht. Eerste klas.'

Mees veegt zijn geld bij elkaar en laat het terugglijden in zijn zak. Hij draait zich om en loopt weg. Stom mens! denkt hij. Stomme mensen! Altijd hetzelfde, altijd duwen en trekken, altijd haast, altijd vragen of je moeder ervan weet... Met een hoofd vol boze woorden loopt Mees een brede gang in.

48

De gang lijkt wel een winkelstraat. Je kunt er van alles kopen en dat doen de mensen ook: iedereen koopt van alles. Iedereen heeft geld genoeg. Links en rechts gaan roltrappen omhoog, naar de treinen. Boven de roltrappen hangen borden. Daarop kun je lezen waar de treinen heen gaan. Verre steden. Mees kan bijna alle namen lezen, de meeste zelfs zonder te spellen. Hij bekijkt de borden zó goed, dat hij tegen iedereen opbotst.

Mees hoopt dat hij een bord ziet waarop ALMERE staat, en hij hoopt het zó vurig, dat hij enorm schrikt als hij het bord ook echt *ziet*. Het hangt boven een roltrap. ALMERE staat er op. En dat betekent, begrijpt Mees, dat er bovenaan de roltrap een trein staat... die naar Almere gaat.

Mees gaat op de roltrap staan en laat zich omhoog dragen. En kijk! Daar staat een trein klaar langs het perron. Zomaar... De deuren staan open. Er is niemand die om een kaartje vraagt. Mees kan zó instappen. Op de trein zelf hangt ook een bordje waarop ALMERE staat. Dit is zijn kans!

Dapper zijn! denkt Mees. Dat heb ik mezelf beloofd: dapper zijn! Hij klimt de trein in en zoekt een plaats. Hij heeft geluk. Er zijn twee banken tegenover elkaar waarop nog niemand zit. Mees heeft geen zin in vreemde mensen. Onwennig schuift hij heen en weer over de grote bank.

Dan gaat hij naar buiten zitten kijken. Er lopen mensen langs het raam. Er hangt een grote klok. Opeens gaan de deuren sissend dicht. Langzaam begint de trein te rijden. Mees kijkt met grote ogen naar buiten. Het is echt waar! De trein rijdt! Sneller, steeds sneller, het station uit...! Wat nu?

Mees schrikt van een stem.

'Is hier nog een plaatsje vrij?'

Hij kijkt om. Er staat een mevrouw in het gangpad. Ze kijkt Mees vriendelijk aan. Mees knikt. De mevrouw gaat tegenover hem zitten en lacht. Als ze maar niks gaat zeggen, als ze maar niks gaat vragen. Maar dat doet de mevrouw natuurlijk toch.

49

De mensen lopen heen,
de mensen lopen weer.
De mensen lopen op,
de mensen lopen neer.
Soms zijn er heel veel mensen,
maar meestal zijn er meer.

Waar gaan ze toch allemaal naartoe?
Is er een plek om heen te gaan?

Is er voor alle mensen wel
een plek om heen te gaan?
Of moeten er soms mensen
blijven wachten, blijven staan
tot er weer een plek is,
ook voor hen,
een plek om heen te gaan?

De mensen lopen heen,
de mensen lopen weer.
De mensen lopen op,
de mensen lopen neer.
Soms zijn er heel veel mensen,
maar meestal zijn er meer.

'Op reis?' vraagt ze.

'Ja mevrouw,' zegt Mees.

'En zo helemaal alleen?'

Mees knikt.

'Reis je vaak alleen met de trein?'

Mees schudt zijn hoofd.

'Waar ga je heen? Naar Lelystad?'

'Naar Almere,' zegt Mees.

'Leuk,' zegt de mevrouw. Ze gaat er eens echt voor zitten. 'Ik ga ook naar Almere. Onze koningin is daar vandaag. Ik houd erg van onze koningin. Ga je ook naar onze koningin kijken?'

'Ja,' zegt Mees. 'En dan ga ik Tim zoeken.'

Mees schrikt ervan, dat hij zomaar over Tim begint. Maar het is niet erg. Dit is een vreemde mevrouw, ze kent papa en juf niet, dus ze kan ook niks verraden. Misschien heeft ze het niet eens verstaan. De trein davert zó lawaaierig over de rails.

'Tim zoeken?' vraagt de mevrouw.

'Tim is mijn vriendje,' vertelt Mees. 'Hij is verhuisd. Hij woont nu in Almere. Al heel lang. Maar ik heb nog iets van hem en dat ga ik teruggeven.'

De mevrouw knikt, ze snapt het.

'Wil je het zien?' vraagt Mees.

'Graag,' zegt de mevrouw.

Mees staat op en haalt het zakmes uit zijn broekzak. Tenminste, dat was hij van plan. Hij steekt zijn hand nog wat dieper in zijn zak, en nóg dieper, en in zijn andere zak, zo diep als hij kan... Hij voelt alleen maar geld! Het mes is weg!!! Mees vist al zijn geld uit zijn broekzak en legt het op het tafeltje bij het raam. Dan zijn zijn zakken leeg...

Het mes is verdwenen. Mees denkt na. Hij doet zijn ogen dicht. Tranen duwen ze bijna weer open. Hij wil niet huilen, hij moet nadenken...

Dan weet hij het.

'Het ligt nog in het station!' schreeuwt hij.

Hij ploft neer op de bank. Hij...

'Uw plaatsbewijzen alstublieft,' zegt een zware stem.

Ook dat nog. De kaartjes... Mees durft niet op te kijken. Hij kijkt naar zijn knieën.

'Alstublieft,' zegt de mevrouw.

'Dank u wel,' zegt de controleur.

Mees hoort het knippen van een tang. Dan is het even stil. Mees voelt dat de controleur en de mevrouw naar hem kijken.

'Heeft hij geen kaartje?' vraagt de controleur.

Mees schudt zijn hoofd.

'Hoort hij bij u?' vraagt de controleur.

'Nee,' zegt de mevrouw. 'Hij gaat naar Almere.'

'Nee!' roept Mees.

Hij schudt woest zijn hoofd. Hij kan er niks aan doen, nu huilt hij toch... Hij wil niet meer naar Almere!

'Ik wil naar huis,' fluistert hij.

Maar de trein davert verder en voort naar Almere.

'Tja,' zegt de controleur.

'Tja,' zegt de mevrouw.

Mees durft nog steeds niet op te kijken. Zijn tranen vallen op zijn knieën.

'Weet u wat?' zegt de mevrouw. 'Ik stap op het volgende station met hem uit en daar zet ik hem op een trein terug naar huis.'

'Dan heeft hij nog steeds geen kaartje,' bromt de controleur.

'Is dat nou zo erg?' vraagt de mevrouw.

'Nou, nee,' zegt de controleur.

'Ik regel het wel,' zegt de mevrouw.

De controleur loopt verder, de mevrouw gaat naast Mees zitten. Ze slaat een arm om zijn schouders.

'Heb je gehoord wat ik zei?'

Mees knikt.

'Kom op dan. Stop dat geld terug in je zak… We zijn er zo.'

Mees droogt zijn tranen. Hij staat op en laat het geld weer in zijn broekzak glijden.

Vijf minuten later zit Mees aan een tafeltje in een restaurant achter een groot glas cola. De mevrouw drinkt koffie. Ze hebben samen een kaartje voor Mees gekocht, een enkele reis terug naar huis. Een enkele reis kon Mees wel betalen. Hij heeft nog twee gulden en wat dubbeltjes over.

Mees vertelt wat er die dag gebeurd is. Van het dure retour, en dat hij zijn zakmes heeft laten liggen bij het loket. De mevrouw luistert.

'Ik krijg het nooit meer terug,' zegt Mees. 'Het is zo mooi, dat laten ze niet liggen. Zo'n prachtig mes wil iedereen wel hebben… Ik krijg het niet terug. En Tim helemaal niet.'

'Er bestaat een loket "Gevonden Voorwerpen",' zegt de mevrouw. 'Daar moet je eens gaan vragen of iemand het gevonden heeft.'

Ze kijkt op haar horloge.

'Kom,' zegt ze, 'het is tijd.'

Ze roept de ober en pakt haar portemonnee.

'Ik betaal!' roept Mees opeens.

Hij schrikt er zelf van. Hij heeft het papa eens horen zeggen en het klinkt zo vrolijk. Hij neemt zijn geld uit zijn zak. De mevrouw moet vreselijk lachen.

'We betalen als vrienden,' zegt ze. 'Jij betaalt mijn koffie, ik betaal jouw cola.'

Dat vindt Mees goed. Ze betalen als vrienden en lopen samen naar de trein die Mees naar huis zal brengen.

'Wilt u deze jongeman waarschuwen als hij er is?' vraagt de mevrouw aan een controleur die uit een deur hangt.

'Ik schop hem er wel uit,' zegt de controleur.

Hij zegt het vriendelijk. Hij geeft Mees een hand en trekt hem de trein in. Hij blaast op zijn fluitje. De deuren sissen dicht. Mees zwaait naar de mevrouw en de mevrouw zwaait naar Mees. De trein begint te rijden.

'Groeten aan de koningin!' roept Mees nog.

Hij kijkt heel vrolijk, om de mevrouw te bedanken. Hij zwaait tot hij haar niet meer ziet.

Zo komt Mees terug in het station waar hij zijn reis begon. Hij gaat met grote sprongen de roltrap op en rent door de brede gang, zigzaggend als een haas tussen de mensen door, naar de grote hal met de loketten.

Voor alle loketten staan lange rijen mensen. Mees loopt langs de rijen en gluurt naar de gezichten van de mannen en vrouwen die kaartjes verkopen achter de grote ramen, maar de dame met wie hij vanmorgen gepraat heeft is er niet meer. Vreemde gezichten achter alle loketten.

Mees gaat in een rij staan. Het duurt uren, zo lijkt het, voor hij aan de beurt is. Hij vraagt naar de 'Gevonden Voorwerpen' en een jongeman achter het raam wijst hem vriendelijk de weg. Mees rent weer door het station. Zou iemand…? Zou dat kunnen, dat iemand écht…?

Nee. De oude dame van de gevonden voorwerpen heeft de hele dag geen rood zakmes gezien.

'Geen blauw zakmes ook,' zegt ze. 'En ook geen groen. En ook geen geel zakmes. En gisteren ook niet.'

'Nee, dat kan ook niet,' zegt Mees, 'want…'

'Trouwens,' vraagt de oude dame van de gevonden voorwerpen, 'weet je moeder wel dat je hier bent?'

Mees gaat met de bus naar huis. Het is niet leuk in de bus. Maar thuis wacht een fantastische verrassing:

Papa heeft het mes!

Papa zit aan de keukentafel. Hij heeft een kwaaie kop, maar dat geeft niet. Dat komt wel goed… Het zakmes staat rechtop. Papa heeft het mes diep in het hout van de tafel gestoken.

'Het mes!' schreeuwt Mees. 'Wat goed!!!'

'Je vergist je, Mees,' zegt papa.

Hij geeft een tik tegen het mes. Het mes zwaait heen en weer, en heen en weer, en heen, en weer, tot het alleen nog maar een beetje bibbert. Dan staat het weer stil.

'Het is niet goed,' zegt papa. 'Het is ongeveer het slechtste wat je ooit hebt gedaan.'

Papa springt op. Hij kijkt Mees woedend aan.

'Ik vind het zo ontzettend misselijk van je!' schreeuwt hij. 'Gadverdamme! Mijn zoon een ordinaire dief!!! Ik ben er ziek van, weet je dat?'

Zie je wel, denkt Mees. Ik had gelijk. Papa begrijpt het niet. Dat dacht ik wel. Hij denkt dat ik het mes van Tim gestolen heb. Nu moet ik alles uit gaan leggen. Gelukkig maar… Nu kan ik hem alles vertellen.

'Het ging per ongeluk,' zegt Mees.

'Ga je,' vraagt papa en hij hapt naar adem, 'ga je nu nog liegen ook?'

'Nee,' zegt Mees snel, 'het ging echt per ongeluk. Juf kwam langs en toen heb ik het mes snel in mijn zak gestoken.'

'Wanneer is juf langs geweest?' vraagt papa.

'Niet hier!' roept Mees. 'Op het schoolplein…!'

'Maar waarom,' vraagt papa, 'had je het mes dan meegenomen naar het schoolplein?'

Papa begrijpt er helemaal niets van!

'Dat heb ik niet gedaan!' zegt Mees. 'Dat heeft Tim gedaan!'

'Tim?!?!' vraagt papa.

'Ja,' zegt Mees. 'Hij had het gekregen.'

'Gekregen?' vraagt papa. 'Van jou?'

'Nee,' zegt Mees. 'Van z'n buurman.'

'Heeft Tim,' vraagt papa, 'heeft Tim *mijn* mes van *zijn* buurman gekregen?'

'Jóuw…?' vraagt Mees.

Maar hij vraagt niet verder. Hij snapt het al. Hij kijkt naar het mes dat in de tafel staat. Het is het zakmes van papa. Papa is vandaag naar school geweest. Papa heeft met juf gepraat. Juf heeft het verteld.

'Nee,' zegt Mees, 'jóuw mes heb ik gepikt.'

'Hè hè,' zegt papa. Hij gaat weer zitten. 'We zijn er. Goed. Dit betekent dat jij voor je zevende verjaardag *absoluut* géén zakmes krijgt... Je bent er duidelijk nog te klein voor.'

Mees denkt na. Hij doet zijn best, maar het is zo ingewikkeld. Moet ik nu alles vertellen? denkt hij. Dat ik het mes van Tim óók gepikt heb? Uit de la van juf? En dat ik het nu alweer kwijt ben – zo stóm...? Dat ik in de trein geweest ben? Dan wordt papa nóg kwaaier.

'Ik schaamde me dóód,' zegt papa, 'vanmorgen bij die juf van jou. Mijn zoon een dief...'

Hij trekt het mes uit het hout van de tafel. Hij knipt het dicht en steekt het in zijn zak. Nee, denkt Mees, niet nu. Morgen, morgen vertel ik hem alles. Misschien... En misschien ook wel niet.

'Voorlopig heb je huisarrest,' zegt papa.

Mees weet niet wat dat is.

'Dat is,' zegt papa, 'dat je voorlopig het huis niet uit mag!'

Mees knikt. Hij loopt de keuken uit, de trap op. In zijn kamer neemt hij zijn schatkist uit de boekenkast. Hij zet de kist op tafel en tilt de speeldoos eruit. Het deksel gaat tinkelend open. De speeldoos is leeg. Verschrikkelijk leeg.

Mees graaft in zijn broekzak. Hij vindt vier dubbeltjes en een treinkaartje. Die legt hij op de bodem van de speeldoos.

'Ik dans met de gans en ik trouw met de pauw,' zingt hij. 'Ik dans met de gans en ik trouw met de pauw...'

Hij begrijpt er niks van, dat hij zomaar staat te zingen!

Hij houdt er gauw mee op.

De advertentie

Juf heeft een verrassing. Een leuke verrassing. Dat is voor het eerst. Ze staat voor het bord en zwaait met een brief.

'Kijk,' zegt ze. 'Dit viel gisteren in mijn brievenbus. Een brief. En van wie, denken jullie...?'

Dat weet niemand. Nee, hoe kun je dat ook weten? Er zijn veel mensen in de wereld.

'Van Tim!' roept juf. 'Weten jullie nog wie Tim is?'

Dat weet iedereen. 'JAAAAA!!!' brullen alle kinderen. Alleen Mees brult niet mee. Mees zit met grote ogen en een open mond naar de envelop te staren. Hij zwijgt.

'Goed zo,' zegt juf. 'En wat schrijft Tim aan ons? Tim schrijft ons dit...'

Juf draait zich om en klapt het schoolbord open. Daar staat de brief van Tim. Juf heeft hem overgeschreven. Zo kan iedereen hem lezen.

'Cynthia,' zegt juf, 'wil jij eens hardop voorlezen wat daar staat?'

Cynthia, Cynthia, altijd weer Cynthia... Cynthia is de slimste van de klas. Stom kind.

'Dag alemaal,' leest Cynthia. 'Dat is niet goed, juf,' zegt ze, 'er moet nog een "l" bij...'

'Heel goed, Cynthia,' zegt juf. 'Ga eens door...'

'Hoe gaat het met julie?' leest Cynthia. 'Da's ook fout, juf. Moet ook nog een "l" bij.'

'Juist, Cynthia,' zegt juf. 'Weet je wat ik denk, Cynthia? Ik denk dat die arme Tim op een heel slechte school zit. Kijk eens...'

57

Juf draait zich weer om en onderstreept alle fouten die Tim in zijn brief heeft gemaakt.

Mees is boos. Het is juist zo'n mooie brief:

Dag alemaal.

Hoe gaat het met julie?

Met mij gaat het goet.

De koningin was bij ons.

Ik hep hart gezongen.

We kregen een balon en snoep.

Nu weet ik niet mir.

Tim.

Dog Mos.

Met woeste gebaren streept juf de laatste twee woorden door.

'Dog Mos,' roept ze. 'Dog Mos... Dat slaat natuurlijk helemaal nergens op!'

Mees kijkt haar woedend aan. Juf ziet het. Ze knijpt haar ogen tot gemene spleetjes.

'Of weet jij soms wat dat betekent, Mees?' vraagt ze.

Mees schudt zijn hoofd. Hij wil niks zeggen. Hij kán ook niks zeggen. De woede zit in zijn keel.

'Hoe is het trouwens,' vraagt juf, 'met dat mes?'

Hoe kán dat nou? Hoe kán het toch, dat grote mensen altijd alles weten? Hoe kán juf weten van het mes van Tim?

'Ik... ik ben het kwijt,' stottert Mees.

'Dat wil ik wel geloven, ja,' zegt juf. 'Heb je er nog over gepraat met je vader?'

Dus papa weet het ook! Juf heeft alles aan papa verteld! Dat was natuurlijk toen ze papa zijn eigen zakmes... Maar wacht eens, juf weet helemaal niks! Ze heeft het over het zakmes van papa!!! Mees knikt. Dáárover heeft hij met papa gepraat.

'En?' vraagt juf.

'Ik heb straf gekregen, juf. Huisarrest.'

'Fijn zo,' zegt juf.

'Juf!' zegt Eduard.

Juf kijkt naar Eduard. Mees haalt opgelucht adem.

'Kunnen we Tim niet een brief terugschrijven, juf?' vraagt Eduard.

'Nee Eduard, dat kan niet,' legt juf streng uit. 'Want Tim is zo dom geweest om niet in zijn brief te schrijven waar hij nu woont. En hoe kun je nu een brief schrijven aan iemand van wie je niet weet waar hij woont?'

Daar weet Mees alles van.

'Retour afzender,' zegt hij zachtjes.

'Wat zit jij te mompelen, Mees Grobben?' vraagt juf.

'Dan komt die brief terug, juf,' zegt Mees. 'En dan staat er "Retour afzender" op.'

'Heel goed, Mees,' zegt juf verbaasd. 'Heel goed... Ik kan wel merken, kinderen, dat jullie op een betere school zitten dan die arme Tim. Hè?'

Juf is vroeger vast een soort Cynthia geweest, en Cynthia wordt later vast een soort van juf.

Mees niet.

Geen sprake van.

Papa heeft boodschappen gedaan. Daar wordt hij altijd vrolijk van. Fluitend tilt hij de spullen uit de tassen. Opeens houdt hij op met fluiten. Hij slaat met zijn vuist op het aanrechtblad.

'Het moet ook niet erger worden!' zegt hij tegen zichzelf.

Hij draait zich om.

'We eten kaasfondue,' zegt hij tegen Mees, 'maar ik ben de stokbroden vergeten. Wil jij die even halen?'

Hij trekt zijn grote portemonnee uit zijn zak en kijkt er in. Eerst haalt hij zijn zakmes eruit, dan wat munten. Het zakmes steekt hij weer terug, het geld geeft hij aan Mees.

'Zei juf nog wat over het mes?' vraagt papa.

'Ze vroeg of ik straf had gekregen,' zegt Mees. 'Ik heb gezegd dat ik de deur niet uit mocht.'

'Huisarrest,' zegt papa.

'Ja, dat zei ik ook,' zegt Mees. 'En juf zei "Fijn zo"...'

De telefoon gaat. Papa neemt op.

'Ja...? Nee, die is er niet, die zingt vanav... Wie zei u...? Ja, die is er wel.'

Papa geeft de hoorn aan Mees en loopt naar het aanrecht. Mees noemt verbaasd zijn naam.

'Met Mees Grobben...'

'Hoi,' zegt een man aan de andere kant van de lijn. 'Je spreekt met Hollenberg. Ik was zaterdag in het station en ik heb je zakmes gevonden. Ik zag je weglopen, maar ik raakte je kwijt in de drukte... Gelukkig lag die envelop erbij, waar je adres opstaat. Vandaar.'

Mees weet niet wat hij zeggen moet. Hij kijkt naar papa. Papa heeft niets in de gaten. Papa pakt zijn boodschappen uit. Hij fluit alweer.

'Ben je daar nog?' vraagt de man Hollenberg.

'Ja,' fluistert Mees.

'Moet je horen,' zegt de man. 'Ik werk bij *Onze Krant*, dat is bij jou in de buurt.'

'Ja,' zegt Mees, 'dat weet ik, dat is vlak bij mijn school.'

'Nou,' zegt Hollenberg, 'als je je mes terug wilt hebben, moet je het maar even komen halen. Het is een mooi mes.'

'Nu?' vraagt Mees.

'Wat mij betreft...' zegt de man.

'Ik kom,' zegt Mees.

'Tot zo,' zegt Hollenberg.

Mees legt de hoorn voorzichtig terug op het toestel. Hij wil dansen en springen en papa aan zijn haar trekken, maar dat doet hij niet. Hij doet heel gewoon.

'Ik ga, hoor...' zegt hij.

Papa draait zich snel om.

'Ho ho!' zegt hij. 'Jij komt de deur niet uit vandaag. Dat hebben we nu eenmaal afgesproken.'

'Ik moest toch stokbrood halen,' zegt Mees.

Papa zucht eens diep.

'Het moet niet nóg erger worden,' zegt hij. 'Doe maar drie.'

Mees kan bijna niet meer gewoon doen, zo opgewonden is hij. Hij rent de keuken uit.

'En meteen terug!' roep papa nog.

Mees is al buiten. Hij danst en hij springt en hij trekt aan zijn eigen haar.

Buiten adem komt hij bij *Onze krant*. De woorden staan groot op het raam geschreven. Mees leest ze. Hier is het, hier moet hij zijn. Hij gaat naar binnen.

Er staat een soort toonbank, als in een winkel. Daar achter zit een juffrouw te lezen. Ze ziet er vriendelijk uit.

Mees schraapt zijn keel. De juffrouw kijkt op uit haar boek.

'Kan ik je ergens mee helpen?' vraagt ze. 'Wil je misschien een advertentie plaatsen?'

Ze wijst op een groot bord dat boven haar hoofd hangt en leest hardop voor wat daar staat. Mees leest mee:

Zoekt u iets?

Heeft u iets te koop?

Een advertentie

helpt een hoop!!!

Een advertentie... Mees weet wat dat betekent. Een advertentie staat in de krant. In een advertentie schrijven de mensen wat ze willen verkopen of wat ze willen kopen. Ze zetten er meestal hun naam bij, of hun telefoonnummer. Mees heeft vaak geprobeerd de advertenties te lezen. Ze zijn fijn kort: advertenties voor zalf en voor plakband en schoenen en kappers... Voor de gekste dingen zetten de mensen advertenties in de krant.

'Nee,' zegt Mees, 'ik wil geen advertentie. Ik zoek iemand.'

'Moet je een advertentie zetten,' lacht de juffrouw. 'Dat helpt een hoop.'

'Nee,' zegt Mees, 'ik zoek meneer Hollenberg.'

'Aha,' zegt de juffrouw. 'Dan moet je die deur door. Daar is de drukkerij van de krant. Daar werken drie heren. Meneer Hollenberg is de mooiste van de drie.'

De juffrouw kijkt opeens heel blij. Mees gaat maar gauw de deur door.

In de drukkerij is het een lawaai van jewelste. Overal gaan raderen en wielen rond, het bonkt en het stampt en het sist. Het lijkt of Mees in de motor van een reuzeschip terecht is gekomen. Z'n ogen en z'n oren doen er pijn van.

Het duurt even voor hij de drie mannen ziet die tussen de machines rondscharrelen. Ze zijn druk aan het werk, ze zien Mees niet. Ze hebben alledrie een soort koptelefoon op. Tegen de herrie natuurlijk. Mees kijkt wat verlegen van de een naar de ander. Hij kan niet zien wie de mooiste is.

De man die het dichtst bij staat heeft een stofjas aan. Hij doet kranten die van een lopende band afkomen in dozen. Mees loopt naar hem toe.

'Meneer Hollenberg?' vraagt hij.

Maar de man hoort hem niet, zulk lawaai maken de machines.

'Meneer Hollenberg!' zegt Mees wat harder.

De man hoort hem nog steeds niet. Mees trekt hem aan zijn mouw en schreeuwt:

'MENEER HOLLENBERG!!!'

Nu ziet de man Mees staan. Hij schudt zijn hoofd.

'Meneer Hollenberg draagt nooit een stofjas,' zegt hij en gaat door met zijn werk.

Mees kijkt naar de twee andere mannen. Zij hebben geen stofjas aan. Mees stapt dapper naar de tweede man toe. Die staat bij de uitgang van de drukpers, waar de kranten gevouwen worden. Mees begint meteen maar te schreeuwen.

'MENEER HOLLENBERG!!!'

De man schrikt. Hij kijkt Mees verbaasd aan. Dan schudt ook hij zijn hoofd.

'Nee,' zegt hij. 'Meneer Hollenberg draagt nooit een pet.'

Mees kijkt naar de derde man. Die heeft geen pet op. Maar wacht eens even...! Mees kijkt naar het hoofd van de tweede man.

'U heeft ook geen pet op!' schreeuwt hij.

De man voelt verbaasd op zijn hoofd. Daar zit alleen haar.

'Het is waar,' zegt hij verbaasd. 'Maar dan... dan ben ik Hollenberg!'

Hij kijkt of hij het zelf niet geloven kan. Maar dan begint hij te lachen. Te schateren zelfs. Hij slaat zich op zijn knieën van de pret, en de tranen springen als vrolijke visjes uit zijn ogen. Mees begrijpt niet waarom de man zo moet lachen. Hij lacht niet mee.

'Het was,' hikt de man, 'maar een grapje. Ik ben Hollenberg helemaal niet...'

Mees wil naar buiten rennen. Weg, naar huis. Maar dat kan niet, want een van deze mannen heeft het zakmes van Tim. Hij zou de man die hem staat uit te lachen graag een schop geven. Maar dat kan ook niet, want dan geven ze het mes natuurlijk niet terug. Hij kan niet anders doen dan wachten tot de man klaar is met lachen.

Mees schaamt zich. Omdat die man zo idioot doet. Hij wist niet dat dat kan: je schamen omdat iemand anders idioot doet. Maar het kan. Want hij schaamt zich...

Mees voelt opeens een hand op zijn schouder. Daar staat de derde man. Hij kijkt Mees vriendelijk aan.

'Let maar niet op de anderen,' zegt hij. 'Ze houden van lachen. Ik ben Hollenberg. Rinus... Jij bent Mees?'

Mees knikt. De man steekt z'n hand uit. Mees pakt de hand. Deze man lijkt behoorlijk gewoon.

'Ik heb je mes,' zegt Hollenberg.

Hij loopt naar een bureau in een hoek van de drukkerij. Mees loopt achter hem aan. Hollenberg trekt een la open en neemt het mes er uit. Hij laat het zien.

'Dit is het toch?' vraagt hij.

Mees knikt. Hollenberg pakt ook de envelop en het briefje op behangpapier uit de la en geeft alles aan Mees.

'Blij dat je het terug hebt?' vraagt hij.

Mees knikt weer. Hij heeft nog niks gezegd.

'Dank u wel, meneer,' zegt hij vlug.

'Wees er maar zuinig op voortaan,' zegt Hollenberg. 'Het is een prachtig mes.'

'Dank u wel, meneer,' zegt Mees nog een keer.

Rinus Hollenberg geeft Mees een aardige knipoog. Mees lacht een beetje. Hij draait zich om en loopt de drukkerij uit. Hij wil het liefst rennen, maar hij houdt zich groot. Hij loopt. Hij gaat met een grote boog om de twee andere mannen heen. Ze letten niet meer op hem, ze zijn alweer aan het werk. Maar toch.

Mees doet de deur open en ontsnapt. Met... het zakmes van Tim!

De juffrouw achter de toonbank kijkt op uit haar boek.

'En,' vraagt ze, 'heb je gevonden wat je zocht?'

Mees laat haar het zakmes zien.

'Mooi,' zegt de juffrouw. 'Is dat van jou?'

Nu begint zij ook moeilijk te doen! Mees geeft geen antwoord, hij kijkt naar de woorden boven haar hoofd.

'Misschien,' zegt hij, 'wil ik toch wel een advertentie.'

'Dat kan,' zegt de juffrouw.

'Is dat duur?' vraagt Mees.

'Ieder woord kost een kwartje,' zegt de juffrouw. 'Zeg maar wat je wilt...'

'Nou,' zegt Mees, 'ik heb niks te koop en ik zoek eigenlijk ook niks, maar...'

'Dan hoef je geen advertentie te plaatsen,' zegt de juffrouw.

'Ik wil iemand iets teruggeven,' zegt Mees. 'Alleen, ik weet niet waar hij woont.'

'Dan zoek je dus toch iets,' zegt de juffrouw. 'Dan zoek je die iemand z'n adres.'

Mees knikt. Zo simpel is het dus. Simpel en waar. Hij lacht en knikt nog eens een keer. Hij zoekt het adres van Tim. Zo is het en niet anders.

'Dat kan in een advertentie,' zegt de juffrouw. 'Zeg maar hoe je het in de krant wilt hebben.'

'Dat is nog een probleem,' zegt Mees.

De juffrouw glimlacht, maar dat ziet Mees niet.

'Weet u,' zegt Mees, 'ik weet wel *wat* er in moet, maar ik weet nog niet *hoe* het er in moet.'

'Denk er maar rustig over na,' zegt de juffrouw, 'en kom maar terug als je het weet.'

'Ja,' zegt Mees, 'dat doe ik.'

Mees zwaait naar de juffrouw en de juffrouw zwaait terug. Vrolijk stapt Mees naar buiten. Als hij bijna thuis is, bedenkt hij opeens dat hij nog stokbroden moet halen.

'Precies op tijd, Mezeman,' zegt papa.

Papa staat aan het fornuis te roeren in een pan vol kaasfondue. Af en toe trekt hij de houten lepel uit de pan omhoog om te zien of de kaas al goed gesmolten is. De damp slaat eraf. Mees gooit de broden op tafel. Hij wil meteen naar boven om zijn advertentie te bedenken. Maar papa heeft andere plannen. Papa pakt een groot mes en steekt het Mees toe.

'Als jij het brood snijdt, giet ik de fondue over in het echte fonduepannetje.'

'Gaan we nu al eten dan?'

'Bijna,' zegt papa. 'En ik heb drie verrassingen voor je. Eén: We eten kaasfondue... En wie vindt dat zo lekker?'

Dat is geen verrassing. Dat is een vraag. Een makkelijke vraag ook nog, dat weet iedereen.

'Mama,' zegt Mees.

'Precies,' zegt papa. 'Dus... Wie is er terug uit Schotland en zit nu in bad en eet straks gezellig met ons mee?'

Dat is wél een verrassing!

'Mama?' vraagt Mees blij.

'Precies,' zegt papa. 'En vanavond gaan we uit, met z'n allen naar de schouwburg. En wie denk je dat daar zingt?'

Dit is een enorme verrassing!

'Mama!!!' schreeuwt Mees.

'Precies,' zegt papa. 'Dus grijp het mes en snijd het brood en zing een lied...'

Papa begint zelf keihard te zingen, dus dat hoeft Mees niet te doen. Mees roept:

'Ik moet nog even weg!'

Papa houdt op met zingen. Hij draait zich om, zó snel, dat het lijkt of er iemand aan zijn haar getrokken heeft.

'Geen sprake van!' zegt papa boos. 'Jij komt vandaag de deur niet meer uit. Je hebt huisarrest. Dat was de afspraak en daar houd ik je aan!'

'Ik mag toch wel naar m'n kamer?' zegt Mees. 'Ik heb toch zeker geen keukenarrest.'

Gelukkig, daar moet papa een beetje om lachen. Hij pakt het fonduepannetje en wil het aan Mees geven.

'Hier,' zegt hij, 'houd jij dat even vast, dan kan ik de fondue uit de grote pan hier in overgieten...'

'Ik doe het zo,' zegt Mees, 'maar ik moet nu echt heel even naar boven...'

Mees rent de keuken uit, de trap op.

Arme papa – staat er weer helemaal alleen voor. Hij zoekt een plek om het fonduepannetje neer te zetten. Het aanrecht is vol en de tafel is vol...

Hij zet het pannetje op de televisie. Hij neemt de grote pan van het fornuis en giet de fondue heel voorzichtig in het kleine pannetje over.

Ai...! Niet voorzichtig genoeg! Het pannetje glijdt van de televisie en dikke stromen kaasfondue druipen langs het beeldscherm.

Even staat papa verdrietig te kijken. Dan snijdt hij een stuk stokbrood af en veegt daarmee langs het scherm. Het wordt er niet echt schoon van. Papa neemt een hap van het brood met fondue... Lekker!

Mees zit aan zijn tafel. Eindelijk, denkt hij. Eindelijk! Met de brief is het niet goed gegaan en de treinreis is mislukt, maar nu zal ik Tim dan toch weten te vinden! Alle mensen lezen de krant, dus Tim en zijn ouders ook...

Op de tafel staan de schatkist en het speeldoosje open. Ernaast liggen de brief op het behangpapier, de envelop waar de tekening en het mes in zaten, het treinkaartje en het grote rode zakmes van Tim. Ook heeft Mees zijn spaarpot weer omgekeerd. Hij heeft net zijn zakgeld gehad.

Maar nu het probleem, zoals Mees dat zo mooi tegen de juffrouw van de krant gezegd heeft. Mees weet natuurlijk best *wat* hij in de advertentie wil zetten, dat is niet moeilijk. Hij heeft zijn brief aan Tim al drie keer gelezen. Die brief moet in de krant. Het probleem is... dat alleen Tim de brief mag lezen, en niemand anders. Het moet een *geheime* advertentie zijn... En dat kan niet, dat snapt Mees ook wel. Alle mensen lezen de krant, dus alle mensen lezen zijn advertentie...

Wat wél kan, denkt Mees, is dat alle mensen zijn advertentie *lezen*, maar dat alleen Tim hem *snapt*! En dan... moet Mees de advertentie in een geheime taal schrijven, een taal die alleen Tim kan snappen...

Mees denkt terug aan de vreemde talen die Tim en hij bedachten toen ze nog samen op school zaten. De gekste talen waren erbij: de taal van de washandjes, de taal van de koffie, de taal van het geld. Maar al die talen waren eigenlijk om te lachen geweest. Er was maar één taal waarin ze ook met elkaar konden praten. Dat was de taal van de kippen.

Mees weet nog precies hoe die gaat: ón ón bóm zót ón tók, ón dó móstór ós zók...

Mees gaat aan het werk. Hij schrijft zijn brief opnieuw. Maar nu in de taal van de kippen. En als hij daarmee klaar is, dan is de advertentie ook af.

Mees sluipt de trap af. Zo stil hij kan trekt hij zijn jas en zijn schoenen aan en op zijn tenen loopt hij naar de buitendeur.

'Hee, hee, hee!'

Mislukt! Daar steekt papa zijn hoofd de gang in.

'Wat had ik je gezegd!' zegt papa. 'Niet de deur uit!'

'Maar het moet!' zegt Mees. 'Het moet écht!'

Papa kijkt Mees verbaasd aan. Dan begrijpt hij zeker dat het echt heel belangrijk is voor Mees, want hij haalt zijn schouders op.

'Okee,' zegt hij. 'Als je dan toch ongehoorzaam bent, wil je dan nog één boodschap voor me doen?'

Mees knikt blij.

'Er is een klein ongelukje gebeurd met de fondue,' zegt papa, 'wil je nog wat geraspte kaas halen? Het smaakt fantastisch...'

Mees zwaait en rent de deur uit. Papa roept hem nog na: 'Heb je nog genoeg geld?'

Hij moest eens weten hoeveel geld Mees in zijn zak heeft!

Mees rent zo hard hij kan. Eerst naar de krant natuurlijk. De juffrouw achter de toonbank kent hem nog.

'Is het gelukt?' vraagt ze.

Mees knikt. Hij geeft haar de brief. De juffrouw kijkt er lang naar, érg lang. Dan zegt ze:

'Dit is een vreemde advertentie.'

'Nee,' zegt Mees, 'het is een gewone advertentie, maar in een vreemde taal.'

'Ik begrijp het.' zegt de juffrouw.

Langzaam begint ze de advertentie hardop voor te lezen. Woord voor woord, alsof de woorden snoepjes zijn, allemaal met een andere smaak, die ze heel goed wil proeven:

'Vór Tóm. Ok hóp jó mós. Ok góf hót tróg. Dót mót. Ból mó óp. Dót nómmór: zóvón zóvón dró ón ócht dró... Ok bón jó vrónt. Mós.'

De juffrouw kijkt op van het papier.

68

'Het is een mooie advertentie,' zegt ze tegen Mees. 'Ik begrijp er niks van. Dat is zeker de bedoeling?'

Mees knikt trots.

'Dan is het goed. Ik beloof je dat het morgen in de krant staat. Op een mooi plekje.'

Mees betaalt. Het kost zeven gulden. Hij neemt afscheid van de juffrouw van de krant en rent er weer vandoor. Hij heeft zo'n haast – hij moet nog kaas kopen voor papa, en fonduen met mama, en dan met z'n drieën naar de schouwburg!

De volgende dag is Mees als eerste wakker. Hij moet vreselijk nodig plassen. Hij stommelt de trap af, maar net als hij de deur van de wc open wil trekken, valt de krant in de bus. Mees rent naar de krant, grist hem van de mat en neemt hem mee de wc in. Hij probeert de krant open te slaan en tegelijk te plassen. Dat lukt niet. Hij gaat zitten plassen. Dat kan ook.

Trots kijkt Mees naar de krant. Hier staat zijn advertentie in. Hij kijkt naar de grote letters bovenaan de eerste bladzijde. Hij leest ze: *De Wereld*.

Wat nu? denkt Mees. *De Wereld*? Is dat een andere krant? Hoe kan dat nou?

Papa rammelt aan de deur.

'Schiet eens op, man!' roept hij. 'Ik sta op knappen!'

Mees trekt zijn broek omhoog.

'Mee-hees!' roep papa.

Mees doet de deur open en laat papa de krant zien.

'Is dit niet *Onze Krant*?' vraagt hij.

Papa trekt Mees de krant uit handen. Hij staat te wiebelen als een gek. Hij laat Mees de eerste bladzijde zien.

'Jij kunt toch zo goed lezen?' vraagt hij.

Hij gaat met zijn vinger langs de naam van de krant.

'De Wereld,' zegt Mees.

'Heel goed...' zegt papa.

Een advertentie in de krant,
die lees je in het hele land.
In ieder dorp, in ied're stad.
Een advertentie!
Een advertentie!
Wat een prachtig ding is dat.

Wie kaas wil eten, die koopt kaas
en eet er lekker van.
Maar als er eens geen kaas meer is,
ja, dan... wat doe je dan?

Je plaatst een advertentie!
Gezocht: Wat kaas voor mij.
Nou, dan komt iedereen met kaas,
dan staan ze in de rij.

Een advertentie in de krant,
die lees je in het hele land.
In ieder dorp, in ied're stad.
Een advertentie!
Een advertentie!
Wat een prachtig ding is dat.

Ik wil geen kaas, 'k heb niks te koop.
Daar gaat het mij niet om.
Ik zoek al zo lang naar mijn vriend,
mijn vriendje. Hij heet... Tom.

Hij schiet de wc in en doet de deur achter zich op slot. Mees hoort een enorm geklater en het ritselen van krantepapier. Papa is zeker ook gaan zitten.

'Wij lezen *Onze Krant* niet!' roept papa.

'Zijn er dan twéé kranten?' roept Mees terug.

'Wel honderd!' roept papa. 'Iedere stad heeft wel een eigen krant... Moet je horen wat ze over mama schrijven. Over wat mama gisteren gezongen heeft: *Gisteravond was de beroemde zangeres Vera Grobben eindelijk weer eens in Amsterdam te beluisteren en te bewonderen...'*

Mama komt de trap af daveren. Ze bonkt op de deur van de wc.

'Hoei boei!' roept ze. 'Ik moet hier even wezen.'

'Zelden zal in ons land zo'n krachtige en tegelijkertijd zo'n ontroerende stem hebben geklonken,' leest papa.

'Kom er nu toch af!' schreeuwt mama.

'Mama,' vraagt Mees, 'waar lezen ze *Onze Krant?*'

'Hier, in onze stad,' zegt mama. 'Maar wij niet. Wij lezen alleen *De Wereld. De Wereld* lezen ze in het hele land. *Onze Krant* alleen hier.'

Ze bonkt weer tegen de deur.

'Man, schiet toch eens op!'

'...dat alles werd gebracht,' leest papa, 'met een warmte en een liefde, die door het publiek naar waarde werden geschat.'

'Lezen ze *Onze Krant* nergens anders?' vraagt Mees.

'Nergens anders,' zegt mama.

'Ook niet in Gelderland?' vraagt Mees.

Mama lacht. Ze begint een woeste dans, zo nodig moet ze plassen. Ze bonkt zonder iets te zeggen op de deur.

'Ook niet in Gelderland,' zegt ze.

'Zeeland?' vraagt Mees.

'Ook niet.'

'Friesland?'

'Nee.'

'Eh...' zegt Mees, 'en in... eh... Flevoland?'

Papa komt eindelijk uit de wc. Mama grist hem de krant uit handen en springt naar binnen. Ze doet de deur op slot.

'Nee,' roept ze nog, 'ook niet in Flevoland.'

Mees weet genoeg. Hij stommelt de trap op.

'Kom op!' roept papa. 'Gaan we een gezellige pot thee zetten!'

Maar Mees loopt door, naar boven.

Niemand, denkt hij, kan mij nu nog helpen. Ik heb alles geprobeerd. Nooit zal ik Tim vinden, nooit zal ik hem zijn zakmes terug kunnen geven.

Bovenaan de trap blijft hij opeens staan. Hij schrikt geweldig. Hij schrikt van wat hij denkt. Hij denkt:

Dat mes moet weg!

Langzaam loopt hij zijn kamer in. Hij neemt zijn schatkist uit zijn boekenkast en zet die op tafel. Hij tilt de speeldoos uit de schatkist en haalt de spullen uit de speeldoos. Hij kijkt ernaar.

Het mes moet weg... Als ik het nooit terug kan geven, denkt Mees, moet ik het altijd blijven verstoppen, mijn hele leven lang. En hoe goed ik het ook verstop, op een dag vinden ze het natuurlijk toch.

Hij neemt het zakmes in zijn hand...

En de andere spullen? De brief? De tekening? Het treinkaartje? Moeten die ook allemaal weg...? Als ze die vinden kan hij altijd zeggen dat het een grapje was. Een grapje van vroeger. Dat Tim zijn mes al lang weer terug heeft. Het mes mogen ze niet vinden, maar de rest...?

Nee, weet Mees opeens heel zeker, de andere spullen moet ik juist heel goed bewaren. Want misschien, heel misschien, als ik later groot ben, kom ik Tim nog eens tegen op straat, ergens in een verre, vreemde stad. Of in een café aan de haven. Dan vraagt Tim natuurlijk wat er met zijn zakmes gebeurd is. Dan kan ik hem het verhaal vertellen, het hele verhaal... En dan zal ik hem de brief en de tekening en het treinkaartje laten zien. Tim zal me geloven en dan zijn we weer vrienden. Als ik groot ben, denkt Mees, moet ik die drie dingen altijd bij me hebben.

Hij loopt naar het raam. Het staat open. Het is stil in de wereld. Mees kijkt naar het slootje iets verderop. Hij weegt het zakmes in zijn hand. Als ik hard gooi, denkt hij, zo hard als ik kan, met een mooie boog, dan komt het mes precies in de sloot. Ploemp... Hij buigt zijn arm naar achteren.

Dan komt er een bootje door de sloot aanvaren. Een oude roeier trekt kalm aan zijn roeiriemen. Mees moet opeens verschrikkelijk lachen. Stel je voor, denkt hij, stel je voor dat ik het mes écht gegooid had... Dan zou die man het precies op z'n kop gekregen hebben.

Mees ziet het voor zich: die oude man in z'n bootje, zijn hand op zijn pijnlijke hoofd. De man kijkt·omhoog en schudt zijn vuist naar Mees.

'Houd je troep bij je, wil je!' schreeuwt de oude roeier.

Mees heeft tranen in zijn ogen van het lachen.

Toch maar goed dat hij niet gegooid heeft.

Hij neemt het mes en stopt het samen met de andere spullen terug in de speeldoos. De speeldoos zet hij in de schatkist en de schatkist verstopt hij weer gewoon in de boekenkast.

Zo is het goed.

Het liedje

Mees ligt in bed. Het is vroeg in de ochtend. Hij ligt met zijn hoofd op zijn handen en kijkt naar het plafond. Hij probeert Tim te vergeten. Dat lijkt hem het beste. Hij probeert ook het zakmes te vergeten, en hij probeert alle avonturen te vergeten die hij heeft beleefd toen hij probeerde Tim te vinden. Hij heeft zijn best gedaan, hij heeft alles geprobeerd en alles is mislukt… En daarom, denkt Mees, is het maar beter om te vergeten. Hij staart naar het plafond. Maar ook het vergeten mislukt.

Papa steekt zijn hoofd om de deur.

'Ben je wakker?' vraagt hij.

Mees zwaait.

'Kom eens gauw kijken,' zegt papa. 'In de keuken. Ik heb iets fantastisch uitgevonden…'

Mees gaat rechtop zitten.

'Maak mama ook even wakker,' zegt papa. 'Heel voorzichtig wakker maken. Zeg maar dat de koffie klaar is… Iedereen moet het zien.'

Papa rent de trap af en Mees gaat mama wakker maken. Mama is nog diep in slaap. Mees geeft haar een kus op de punt van haar neus. En nog een…

'Papa heeft iets uitgevonden,' fluistert hij.

Mama doet haar ogen open, langzaam, zoals bloemen opengaan in het eerst zonlicht.

'Hee, Mees!' zegt ze dan. 'Jij hier?'

Ze slaat haar armen om Mees heen. Ze knuffelen.

'Je moet er uit,' zegt Mees. 'Er is koffie en papa heeft iets uitgevonden.'

'Nee hè,' zegt mama.

'Ik moest het zeggen,' zegt Mees.

'Goed,' zegt mama, 'ik kom. Maar onder protest.'

Ze slaat de dekens weg en stapt uit bed. Samen lopen ze naar beneden, Mees en mama, samen gaan ze de keuken in.

'Mama is wakker,' zegt Mees, 'maar onder...'

'... protest,' zegt mama.

'Onder protest,' zegt Mees.

Dat wilde *hij* zo graag zeggen, daar had hij zich op verheugd.

'Boeren, burgers en buitenlui!' schreeuwt papa.

Hij staat naast de televisie en zijn gezicht straalt van trots. Over de televisie hangt een doek.

'Komt binnen en aanschouwt de uitvinding van de eeuw!' schreeuwt papa.

'Ik wil koffie...' zegt mama.

Ze gaat aan de keukentafel zitten en Mees kruipt lekker bij haar op schoot.

'Tará!!!' schreeuwt papa.

Hij pakt een punt van de doek en trekt er aan. De doek zwiert hoog door de lucht. Mees en mama kijken naar de televisie. Een grote ruitenwisser gaat met ferme slagen over het beeldscherm heen en weer...

'Nou,' vraagt papa, 'hoe vinden jullie het?'

'Leuk,' zegt Mees.

'Koffie...' zegt mama.

'Leuk?' vraagt papa. 'Koffie?' vraagt papa. 'Moet je eens zien wat ie allemaal kan!'

Hij graait een kom vla van het aanrecht en gooit die leeg tegen de televisie. De vla druipt naar beneden, maar hup! – daar zwaait de ruitenwisser langs! Mees vindt het eigenlijk een geweldig knappe uitvinding, want het beeld is écht nog nooit zó schoon geweest.

'Koffie...' zegt mama.

'Nou zeg,' zegt papa. 'Ik had toch *iets* meer enthousiasme verwacht...'

Hij zet de ruitenwisser uit en schenkt koffie in.

Mees en mama zitten lekker tegen elkaar aan. Ze kijken naar de televisie. Er is een jeugdprogramma aan de gang. Het heet 'Drie maal drie is negen'. Het gaat over kinderen die muziek maken. Er is een meisje in beeld. Ze speelt gitaar en zingt een lied dat ze zelf bedacht heeft. Ze zingt:

'Ik ben een meisje van tien jaar
en ik heb vlechten in mijn haar.
Ik speel daarmee op mijn gitaar,
van je hi,
van je ha,
van je heggeschaar.'

Mees ligt dubbel van het lachen.

'Ze heeft helemaal geen vlechten!' roept hij.

'Die heeft ze afgeknipt met de heggeschaar,' roept mama.

Nu lachen ze samen. Het liedje is afgelopen. Er komt een man in beeld die even met het meisje praat.

'Toch is het knap, ' zegt mama, 'dat zo'n meisje helemaal zelf een liedje heeft gemaakt.'

'Ha!' zegt Mees. 'Dat kun jij toch veel beter! En jij kunt ook veel mooier zingen.'

'Ik maak mijn liedjes niet zelf,' zegt mama. 'En als zo'n klein meisje dat wel doet, dan vind ik dat knap.'

'Kan ik ook,' zegt Mees. 'Makkie...'

'Probeer het maar eens,' zegt mama.

Papa brengt mama een kop koffie en Mees een kom muesli. Mees springt van mama's schoot.

'Ha!' roept hij. 'Dat doe ik!'

Hij springt tegen papa aan. De koffie en de muesli spatten tegen het beeldscherm. Geschrokken gaat Mees weer zitten.

'Sorry,' zegt hij.

'Geeft niks,' zegt papa vrolijk.

Hij zet de ruitenwisser aan en hup! – schoon is het scherm.

'Het is een geniale uitvinding,' zegt mama.

'Dank je,' zegt papa. 'Wil je misschien een kop koffie?'

De man op de televisie zegt dat het programma afgelopen is.

'Wie een lied wil zingen in ons programma "Drie maal drie is negen",' zegt hij, 'mag aanstaande woensdag, om twee uur, naar het Parochiehuis De Papegaai in Amsterdam komen. De kinderen die dan het leukste liedje zingen of spelen, die komen op tv. Een prettige dag verder, en misschien tot ziens...'

Papa zet koffie en muesli op tafel.

'Hoor je dat?' vraagt hij. 'Máák maar eens een liedje... Kun je beroemd worden.'

'Doe ik!' roept Mees.

Hij laat zich van mama's schoot glijden en rent de keuken uit.

'Het was maar een grapje!' roept papa hem na.

Mees gluurt nog even om de deur.

'Word ik net zo beroemd als mama!' zegt hij. 'Lekker puh...!'

'Nou,' zegt papa met een somber gezicht, 'één beroemdheid in de familie vind ik eigenlijk wel genoeg.'

'Kom ik lekker ook op de televisie,' zegt Mees. 'Ziet iedereen me. Opa en oma en de juf en de kinderen van school en... en...'

'En wat?' vraagt papa.

'En wie?' vraagt mama.

Maar Mees zegt niks meer. Hij doet de deur van de keuken achter zich dicht en loopt door de gang naar de trap. Langzaam gaat hij naar boven. Bij iedere stap knikt hij met zijn hoofd. Goed, denkt hij, dat ik Tim niet vergeten ben.

In zijn kamer pakt hij een vel papier en een pen en hij gaat

aan zijn tafel zitten. Hij wil alvast de woorden van zijn liedje op gaan schrijven. Maar als je woorden op wilt schrijven,
dan moet je ze eerst bedenken. Mees kluift op zijn pen. Er
dreunt een ander liedje door zijn hoofd, het liedje dat het
meisje zong:

'Ik ben een meisje van tien jaar...'

Mees zingt die regel zachtjes voor zich uit, wel vijf, wel
zes, wel zeven keer... Dan schrijft hij op het vel papier:

Ik ben pas zes...

Dat is dus de eerste regel van zijn liedje. Maar hoe gaat
het verder? Nu moet hij gaan rijmen.

'Ik ben al zes,' mompelt hij. 'Ik eet een bes... Ik drink een
fles... Ik heb al les... Ik heb een...'

Heel langzaam schrijft Mees de tweede regel van zijn
liedje onder de eerste. Die tweede regel is:

Tim, ik heb je mes.

Mees wordt heel warm van binnen. Eindelijk, eindelijk,
ein-de-lijk zal hij Tim dan vinden...! Alle kinderen van Nederland kijken naar 'Drie keer drie is negen', zeker weten.
Dus Tim ook.

Mees neemt zijn pen weer op en begint te schrijven. Het
gaat heel vlug, en het gaat heel goed ook. Nu Mees weet wat
hij wil zingen, kan hij opeens heel goed rijmen. En het is belangrijk, verschrikkelijk belangrijk – dat helpt ook.

Na tien minuten staat er een mooi gedicht op het papier.
Maar een gedicht is nog geen liedje. Een gedicht is pas een
liedje als je het zingt. Mees probeert de woorden die hij
heeft opgeschreven hardop te zingen. Maar dat klinkt vals!
Als hij het zo zingt voor die man van de televisie, dan komt
het vast en zeker niet in het programma. En dan kan Tim
het niet horen...

Had ik ook maar een gitaar, denkt Mees, net als dat meisje. Of een piano. Of een banjo. Of een fluit. Mees heeft niks.
Nou ja, hij heeft een oude blikken trommel. Zou je met zo'n
trommel op de televisie mogen?

Mees loopt naar zijn speelgoedkast en neemt de trommel eruit. Dat is één. Nu de stokken nog. Dat duurt wat langer. Het is ook zo'n troep in die kast... Maar Mees vindt ze toch. Hij hangt de trommel om zijn nek en begint er met de stokken op te slaan. Dat klinkt niet slecht. Het klinkt in ieder geval goed hard.

Mees loopt naar zijn tafel. Hij leest zijn gedicht nog eens en begint de woorden te zingen. Ook heel hard. Het gaat veel beter dan hij gedacht had. Hij zingt van de brief en hij zingt van de trein, hij zingt van de krant... *Alles* zingt hij. Het lied is af, het lied is klaar.

En precies op dat moment roept papa van beneden:

'Hee Mees! Ik heb een lied geschreven. Ben jij ook al klaar?'

Mees wil al vrolijk naar de deur lopen om 'Ja' te roepen. Hij gaat al bijna naar beneden om zijn lied te zingen, zó trots is hij, maar dan bedenkt hij wat...

Als ik mijn lied voor mama en papa zing, denkt hij, dan gaan ze vast allerlei vragen stellen: 'Wie is die Tim ook alweer?' en: 'Wat is dat voor een mes?' en: 'Hoe kom je daaraan?' Dat moet niet! Misschien mag ik het dan niet eens voor die man voor de televisie zingen, omdat ze denken dat ik een dief ben. En een dief mag niet zingen.

En, denkt Mees, ik *wil* het ook helemaal niet zingen voor die man... Als hij het hoort stelt hij misschien dezelfde vragen over Tim en het mes en hoe ik eraan kom! Misschien mag ik dan niet voor de televisie zingen, omdat-ie denkt... En dan is alles wéér mislukt...!

Opeens weet Mees weer heel precies wat die man van de televisie gezegd heeft. Die zei:

'De kinderen die dan de leukste liedjes zingen of spelen, die komen op tv.'

Dát zei hij. Dus, denkt Mees, moet ik gewoon een leuk liedje zingen, straks voor mama en papa, en daarna voor die man van de televisie. Een liedje waar ze om moeten lachen.

En dan kiezen ze mij en dan mag ik voor de tv. En dán, als ik voor de tv ben, dán pas zing ik mijn echte lied voor Tim…

'Ik kom zo!' schreeuwt Mees naar beneden.

Hij gaat weer aan zijn tafel zitten en begint te schrijven. Zo snel als hij maar kan. Hij wist niet dat het zó gemakkelijk was, het lijkt wel of alles in de wereld op elkaar rijmt. In vijf minuten schrijft hij een nieuw lied. Hij zingt het en slaat op zijn trommel. Het klinkt hetzelfde als het eerste lied, maar de woorden zijn anders. Heel anders.

Mees stormt de trap af. Met zijn trommel en zijn stokken en zijn lied. Voor de keukendeur blijft hij staan. Uit de keuken komt een vreemd geluid. Hij hoort een accordeon, en de stem van papa die een droevig lied zingt.

'Vanmorgen bij het scheren,' zingt papa, 'sneed ik mij in een traan. Mijn spiegel die moest wenen,' zingt papa, 'maar het heeft geen pijn gedaan…'

Mees gaat naar binnen. Papa zit op de rand van de keukentafel met een accordeon op schoot. Hij trekt lange geluiden uit het instrument en knipoogt naar Mees. Mama zit op haar stoel en kijkt papa met stralende ogen aan. Mees kruipt gauw bij haar op schoot.

'Ik sneed niet in mijn velletje,' zingt papa, 'ik sneed in mijn verdriet. Ik huilde om de weduwe,' zingt papa, 'ik leek wel een vergiet…'

Daar moet Mees om lachen en mama lacht mee. Papa kijkt trots. Hij zingt verder:

'De weduwe die heeft een di, een di-da-dode man…'

Dat heeft hij zeker al vaker gezongen, want nu zingt mama mee. Het is prachtig.

'Die zij maar niet vergi, verga,' zingen ze, 'vergi-ga-geten kan…'

Het lied is uit. Mama springt op, Mees glijdt van haar schoot. Mama slaat haar armen om papa's nek en geeft hem een dikke zoen.

'Prachtig, lieverd,' zegt ze.

Papa staat daar maar te glimmen. Een beetje als Cynthia, het slimste meisje van de klas, dat altijd alles weet. Maar veel liever.

'En jij, Mezeman?' vraagt papa. 'Is het gelukt, jouw lied?'

Mees legt het vel papier waarop zijn lied staat op de tafel en hangt zijn trommel om zijn nek. Hij is opeens verschrikkelijk verlegen. Maar als hij voor de televisie wil, dan moet hij hier in de keuken, bij mama en papa, toch ook durven zingen. Dus dat doet hij. Hij ramt op zijn trommel en zingt zijn lied:

'Ik ben al zes
en ik heb trommelles.
Ik sla op mijn trom
mijn stokken haast krom.
Ik sla en ik sla,
soms langzaam, soms vlug.
Ik sla op mijn trommel
zijn buik en zijn rug.'

Mees slaat zijn stokken nu ook even tegen de onderkant van de trommel. Dat is de rug. Die is ook van blik. Daar moeten mama en papa om lachen. Dat hoopte Mees al. Dan zingt hij de regels nog een keer:

'Ik ben al zes
en ik heb trommelles.
Ik sla op mijn trom
mijn stokken haast krom... UIT!!!'

Heel even is het stil in de keuken. Dan beginnen mama en papa keihard te klappen.

'Buiging!' roept papa.

En Mees buigt en mama en papa klappen nóg harder. Mama staat op en geeft Mees twéé dikke zoenen.

'Mezeman,' zegt ze, 'het is prachtig!'

'Mag ik naar de televisie?' vraagt Mees.

'Natuurlijk,' zegt mama. 'Maar niet verdrietig zijn als je niks wint.'

Ik ga een liedje maken,
ik weet hoe dat moet.
Je moet gewoon wat rijmen.
Ik kan dat heel… best.

Ik ga een liedje maken,
ik weet hoe dat moet.
Je moet gewoon wat rijmen.
Ik kan dat… fantastisch!

Mees schudt zijn hoofd.

'Zing het nog eens,' zegt papa.

Hij trekt een lang geluid uit zijn accordeon en zingt:

'Ik... ik... ik... ik ben al zes...'

Mees slaat op zijn trommel en zingt mee. Mama zingt ook mee. Het hele lied. Wel drie keer. Daarna zingen ze het lied van papa, het lied over de weduwe. Ook drie keer. En tot besluit nog eens het lied van Mees.

Die woensdag gaan Mees en papa naar De Papegaai. Ze moeten in een wachtkamer gaan zitten.

Ze zijn niet de enigen. Er zijn wel veertig kinderen, en hun ouders zijn ook meegekomen. Er zijn jongens met violen, die hebben strikjes om hun nek. Er is een man met een grote tuba, en bovenin die tuba slaapt een baby. Er is een meisje met een neusfluit. Er is een meisje met een muzikale pony. Er is een zingende zaag. Er zijn clowntjes en danseresjes... Mees kijkt zijn ogen uit.

Gelukkig is hij de enige met een trommel.

Er gaat een deur open. De man van de televisie komt binnen.

'Hallo, hallo,' zegt hij. 'Ik ben Bert Boot. Maar dat wisten jullie al... Ja toch?'

'Jááá!!!' roepen alle kinderen.

Mees roept het ook:

'Jááá!!!'

Hij roept het een beetje verlegen. Het lijkt wel of hij weer in de klas zit, die eerste dag in groep drie, toen iedereen ook 'Ja' moest roepen, van juf, en Tim nee schudde...

'De kinderen mogen met me mee komen,' zegt Bert Boot.

Alle kinderen staan op. Mees ook. Papa ook.

'Ik loop wel even met je mee,' zegt papa tegen Mees.

Maar Bert Boot houdt hem tegen.

'Het gaat om de kinderen, meneer,' zegt hij.

'Maar ik ben de vader van Mees!' zegt papa.

'Al was u zijn tante,' zegt Bert Boot. ''t Is voor de kinderen, weet u.'

'Maar...' zegt papa.

'U bent te oud,' zegt Bert Boot.

'En te lelijk zeker,' zegt papa. 'Nee maar...'

Hij geeft Mees een kus op zijn haar.

'Zet hem op, Mezeman,' zegt hij.

Dan loopt Mees met de kinderen mee de deur door. Ze komen in een grote zaal met een toneel. Op dat toneel moeten ze één voor één hun liedje spelen of zingen. Bert Boot en nog twee mensen kijken wie de beste zijn.

Het gaat precies zoals Mees had gedacht. De meeste liedjes die gezongen worden kent hij al, van school of van de radio. Er zijn maar drie kinderen die zelf een lied hebben gemaakt: een jongen met een viool, een meisje met een neusfluit, en Mees met zijn trommel. En alledrie worden ze uitgekozen om voor de tv te komen spelen. Ze moeten hun naam zeggen en die wordt opgeschreven door een mevrouw die naast Bert Boot zit.

Bert Boot brengt de kinderen zelf terug naar hun ouders in de kleedkamer. Hij loopt naar papa toe en geeft hem een hand.

'Mees mag meedoen,' zegt hij. 'Het is een prachtig lied. En een trommel hadden we nog niet. Dat is ook zo leuk.'

Papa slaat zijn arm om Mees heen.

'Ik verwacht Mees volgende woensdag,' zegt Bert Boot, 'zelfde tijd. In de studio in Hilversum. Voor de tv-opname...'

Even later staan Mees en papa weer op straat. Papa doet een gek klein dansje.

'Je was vast de aller-, allerbeste,' juicht hij.

'Ze wisten niet,' zegt Mees, 'dat ik de zoon van mama ben... Toch?'

'Van je beroemde mama?' vraagt papa. 'Nee, lieverd,' zegt

hij, 'je hebt het helemaal zelf gedaan. Je hebt talent. Dát is het... Je was de allerbeste, dat weet ik zeker.'

Mees haalt zijn schouders op. Hij weet niet wie de beste was. Dat heeft niemand gezegd. Mees vindt het ook niet zo belangrijk. Hij is al blij dat hij voor de televisie mag. Want dáár gaat het toch om. Het gaat erom dat...

'Kom,' zegt papa.

Hij geeft Mees een hand en begint te rennen. Mees rent met hem mee. Hij moet wel, want papa trekt aan zijn hand. Ze rennen tot ze voor een muziekwinkel staan.

'Wanneer ben jij ook alweer jarig?' vraagt papa.

Z'n verjaardag! Die was Mees bijna vergeten, door al dat gedoe met liedjes en televisie... Goed dat hij een vader heeft die aan dat soort dingen denkt!

'Vrijdag,' zegt hij.

Papa trekt Mees mee de winkel in.

'Krijg ik m'n cadeau nu al?' vraagt Mees.

'Geen zakmes,' zegt papa en hij lacht.

'Weet ik toch,' zegt Mees.

'Dan maar een trommel,' zegt papa. 'Kun je goed oefenen voor volgende week. Op de televisie...'

'Buiging!' roept Mees.

Papa maakt een buiging en Mees geeft hem een kus.

Ze gaan de winkel binnen.

'Wij zoeken een trommel,' zegt papa tegen de oude man achter de toonbank.

'Daar,' zegt de verkoper.

Hij wijst naar een hoek van de winkel waar trommels staan.

'Het moet wel een goeie zijn,' zegt papa.

'Ook daar,' zegt de verkoper en hij wijst dezelfde kant op.

Papa geeft Mees een duwtje in zijn rug.

'Kies maar een mooie uit,' zegt hij. 'Sla er maar eens flink op los en luister hoe ze klinken.'

Mees legt zijn eigen blikken trommel op de toonbank en

loopt naar de mooie nieuwe trommels. Papa praat tegen de verkoper.

'Mijn jongen heeft talent,' zegt hij.

'Fijn,' zegt de verkoper.

'Veel talent,' zegt papa.

'Toe maar,' zegt de verkoper.

Ik mag op alle trommels slaan, denkt Mees, papa heeft het zelf gezegd. Hij neemt voorzichtig de stokken van de eerste trommel en slaat ermee op het vel. Klinkt mooi. Hij legt de stokken terug en loopt naar de volgende trommel. Hij is al iets minder voorzichtig dan bij de vorige en bij de derde trommel durft hij nóg harder te slaan. Hij slaat zó hard, dat de oude verkoper van de winkel hem met een vies gezicht aankijkt. Mees ziet dat niet. Mees roffelt fijn verder. Papa ziet het vieze gezicht ook niet.

'Mees komt volgende week op de televisie,' zegt papa.

'Fijn,' zegt de oude verkoper.

'Ik weet zeker dat hij een prijs wint,' zegt papa.

'Ook dat nog,' zegt de verkoper.

Mees weet eindelijk welke trommel hij wil. Het is er een met rubberen vellen aan de onderkant en de bovenkant en er zijn goeie stokken bij.

Papa betaalt.

Mees hangt de trommel om zijn nek en samen lopen ze de winkel uit. Ze laten de oude blikken trommel van Mees achter op de toonbank.

De televisie

Papa heeft het haar van Mees gewassen en gekamd, met zo'n rechte streep in het midden. Mees heeft zijn mooiste kleren aan. Hij zit aan de keukentafel en mama zit naast hem. Mama heeft ook mooie kleren aan. Ze ziet er deftig uit. Het lijkt of *zij* straks gaat zingen. Maar dat is niet zo… *Mees* gaat straks zingen. Voor de televisie.

Mees en mama kijken naar papa. Papa heeft ook wel mooie kleren aan, maar papa is niet deftig. Dat hoort niet bij hem. Dat stáát hem niet, zegt mama.

Papa heeft zijn jas al aan. Hij drentelt door de keuken, hij kijkt op zijn horloge en hij zucht.

'Zullen we maar eens gaan?' vraagt hij.

'Eerst koffie,' zegt mama.

De ketel staat op het fornuis, het water kookt nog niet. Papa gaat aan tafel zitten en begint handtekeningen op foto's te zetten. Mees heeft zijn nieuwe trommel op schoot. Hij slaat er op, met zijn handen. Heel zacht.

'Houd daarmee op,' zegt papa. 'Waarom gáán we niet gewoon?'

'Het is echt nog veel te vroeg,' zegt mama.

'Waarom helpen jullie me niet even met die handtekeningen?' vraagt papa.

Hij schuift een stapel foto's en twee pennen over tafel naar Mees en mama toe. Mama duwt de foto's terug.

'Jij kan mijn handtekening veel mooier schrijven dan ik,' zegt ze.

'Maar het is toch jóuw handtekening!' zegt papa. 'En Mees… Jij kunt al zo fantastisch goed schrijven.'

Mees duwt de twee pennen terug.

'Ik wil ook dat we gaan,' zegt hij. 'Hoe laat is het nu?'

Papa kijkt wéér op z'n horloge. De telefoon gaat. Papa kijkt naar mama.

'Ben je thuis?' vraagt hij.

'Natuurlijk niet,' zegt mama. 'Ik ben toch nooit thuis.'

Papa neemt de telefoon op.

'Nee,' zegt hij, 'mijn vrouw is niet thuis. Ze heeft laatst haar handtekening in Parijs laten liggen en die is ze nu gaan ophalen… Wat zegt u…? Ja, dat was een grapje… Maar ze is er echt niet… Vanmiddag zingt mijn zoon trouwens op de televisie. Ga daar maar eens naar kijken… Dag meneer.'

Papa legt de hoorn op het toestel.

'Doe je altijd zo gek,' vraagt mama, 'als er mensen naar mij bellen?'

'Als die mensen zelf gek doen, dan wel,' zegt papa.

'Hoe laat is het nu?' vraagt Mees.

Mama staat op.

'We gaan,' zegt ze. 'Nu…! We lopen wel naar het station. Een frisse wandeling zal jullie zenuwachtige mannen goed doen. En dan drinken we onderweg wel ergens koffie…'

Ze lopen langs *Onze Krant* en langs de bushalte. De bus komt langs, maar ze stappen niet in. Ze lopen langs de brievenbus. Mees aait heel even met zijn hand over het rode hoofd van de bus. Ze lopen langs de muziekwinkel en verder, door de straten, door de stegen, en over het plein voor het treinstation. Ze gaan naar binnen. Papa koopt kaartjes. Mees kijkt naar de dame achter het grote glazen raam. Het is dezelfde dame die hem toen geen kaartje wilde verkopen. Hij herkent haar meteen. Mees is niet meer boos op haar.

Ze stappen in de trein en de trein begint te rijden. Mama en papa zitten uit het raam naar buiten te kijken, maar

Mees kijkt naar de mensen in de trein. Hij zou de mevrouw die naar Almere ging om de koningin te zien zo graag nog eens gedag zeggen... In een hoekje verderop zit wél iemand een krant te lezen die *Ons Koningshuis* heet! Mees kan het duidelijk lezen. En voorop de krant staat een foto van onze koningin...

Mees sluipt op zijn tenen naar de mevrouw toe en trekt haar krant weg:

'Kiekeboe!' roept hij.

Maar het is de mevrouw niet. Het is een vreemde. Mees rent terug naar mama en papa en gaat uit het raam naar buiten zitten kijken tot ze in Hilversum zijn.

In de kleedkamer bij de televisie-studio is het geweldig druk. Er zijn natuurlijk de jongens en meisjes die straks op gaan treden, maar er zijn ook vaders en moeders en opa's en oma's en broertjes en zusjes. Tussen al die mensen loopt Bert Boot rond om iedereen te begroeten.

'Ha die Mees!' zegt hij. 'Je bent mooi op tijd.'

Hij weet nog hoe Mees heet!

'Dag Bert,' zegt Mees.

Bert Boot geeft Mees en papa een hand en stelt zich voor aan mama.

'Ik ben Bert Boot,' zegt hij.

'Vera Grobben,' zegt mama.

Bert Boot kijkt mama heel nieuwsgierig aan. Dat duurt vrij lang.

'U bent het echt!' zegt hij dan. 'Wat leuk. Nu snap ik waarom Mees zo mooi kan zingen. Met zo'n moeder...'

'En zo'n vader,' zegt papa.

Bert Boot lacht. Hij legt zijn arm om de schouders van Mees.

'Mees,' zegt hij, 'jij moet straks als eerste zingen. Vind je dat erg?'

Nee, denkt Mees, dat is juist fijn. En dapper schudt hij zijn hoofd.

89

'Zenuwachtig?' vraagt Bert Boot.

Weer schudt Mees zijn hoofd. Maar nu jokt hij. Want hij is wél zenuwachtig. Nou en of! Niet omdat hij deze keer écht voor de televisie moet zingen, nee, hij is zenuwachtig omdat hij stiekem een ander lied gaat zingen. Zijn lied voor Tim…

Bert Boot klapt in zijn handen.

'Dames en heren!' roept hij. 'Jongens en meisjes…! Komen jullie met me mee? We gaan beginnen…'

Alle mensen staan op, iedereen loopt achter Bert Boot aan. Mees en mama en papa ook.

Ze komen in een grote zaal. Die zit van onder tot boven vol kinderen. Ze schreeuwen en joelen en fluiten op hun vingers, het lijkt wel of alle kinderen van Nederland hier lawaai zitten te maken. In de verte is een hoog toneel, helder verlicht door felle lampen. Daar moet Mees straks gaan staan en zingen. Hij zou zich liever verstoppen. Maar dat kan niet.

Een vrouw op het toneel schreeuwt boven alles en iedereen uit:

'Jongens en meisjes… Daar zijn de zangers en zangeressen van vandaag! En natuurlijk jullie gastheer… Bert Boot!!!'

Er klinkt tromgeroffel en trompetgeschal. Fel licht beschijnt opeens de jongens en de meisjes die straks zingen gaan. Ze lopen tussen de juichende kinderen door naar voren, naar het hoge toneel. Bert Boot loopt voorop, hij zwaait naar alle kanten. De zangeressen en zangers zijn verlegen.

Ze mogen op de eerste rij gaan zitten. Die stoelen zijn nog leeg. Ze zijn gereserveerd. Mees moet op een hoek gaan zitten, naast het gangpad. Mama en papa zitten naast hem. Bert Boot geeft Mees een knipoog.

'Als ik je naam noem kom je het toneel op, ja?'

Mees knikt. Hij heeft zijn trommel op schoot, zijn stokken in zijn handen. Hij houdt ze stevig vast.

Bert Boot klimt op het podium.

'Daar zijn we weer,' roept hij, 'met "Drie maal drie is negen"! We hebben weer allemaal fantastische zangeressen en zangers voor jullie. En het publiek in de zaal... Is dat er ook?'

'Jááá!!!' brullen de kinderen in de zaal.

Mees brult niet mee. Dat hoeft ook niet. Hij hoort niet bij het publiek.

'We beginnen meteen met onze eerste artiest,' roept Bert Boot. 'En dat is... Mees Grobben! Mees Grobben met zijn trommel!!!'

Mees staat op en loopt naar het toneel. Bert Boot geeft hem een hand en trekt hem op de planken. De kinderen in de zaal beginnen vreselijk hard te klappen. Dat is eng. Bert Boot slaat een arm om de schouders van Mees en zo lopen ze naar de microfoon.

'Zo,' zegt Bert Boot, 'als je nu hier blijft staan, en je kijkt naar die camera daar, dan kunnen de kinderen thuis je goed zien.'

Mees knikt en kijkt naar de camera.

'En Mees,' zegt Bert Boot, 'jij gaat voor ons zingen... Zingen jullie thuis veel?'

'Thuis niet,' zegt Mees.

Daar moet Bert Boot om lachen. Hij wijst de zaal in.

'Is dat je moeder?' vraagt hij.

Mees knikt. Mama glimlacht naar hem, papa zit te zwaaien.

'En daarnaast zit mijn vader,' zegt Mees. 'Die zo zwaait.'

'En je zingt niet alleen,' zegt Bert Boot, 'je speelt ook op een trommel. Is die nieuw?'

'Ja,' zegt Mees, 'die heb ik voor m'n verjaardag gekregen. Vorige week.'

'En hoe oud ben je geworden?' vraagt Bert Boot.

'Zeven.'

'Zeven!' roept Bert Boot. 'Toe maar... Nou, ik zou zeggen: Mees, zing je lied!'

Bert Boot loopt weg. Mees haalt diep adem en slaat een lange roffel op zijn trommel. Hij kijkt recht in de camera en begint te zingen:

'Ik ben pas zes...'

Verder komt hij niet. Alle kinderen in de zaal beginnen hard te lachen. Mees kan zich wel voor z'n kop slaan. Dat hij zó stom is geweest! Toen hij het lied maakte, ja, toen was hij zes, maar nu is hij zeven! Dat heeft hij net zelf gezegd...!

'Ik ben wel zeven,' zegt Mees, 'maar ik ga toch weer zingen dat ik zes ben. Want dat moet. Dat rijmt...'

Hij wacht even tot het helemaal stil is in de zaal. Dan begint hij te zingen. Zijn nieuwe lied:

'Ik ben pas zes.
Tóm... ik heb je mes.
Ik sla op mijn trom,
ik roep mijn vriend Tóm.
Ik heb je geschreven,
gezocht in de stad.
Ik heb iets van je,
je weet wel wat.'

En opeens begrijpt Mees wat hij eigenlijk aan het doen is. Hij staat hier te zingen en alle mensen in Nederland kijken naar hem! Alle mensen, dus ook... Tim! Mees moet even slikken als hij daar aan denkt. Maar dan zingt hij dapper verder. En hij kijkt niet meer *naar* de camera, nee, hij kijkt er *doorheen*... Hij kijkt naar Tim... Mees vergeet helemaal te trommelen, zo hard denkt hij aan Tim. Maar hij vergeet niet te zingen:

'Ik zat in de trein,
ik stond in de krant.
Ik kon je niet vinden,
dit is zo'n groot land.
Waar ben je? Waar woon je?
Bel me toch vlug!

Ik heb nog iets van je.
Dat geef ik je terug.
Ik sla op mijn trom,
ik roep mijn vriend Tóm...'
Het lied is uit. Het blijft stil in de zaal, heel lang. Mees
weet niet wat hij doen moet. Hij staat daar maar. Een paar
lastige tranen prikken in zijn ogen. Hij veegt ze weg met
zijn mouw. Dan rent Bert Boot naar hem toe en slaat zijn
arm weer om zijn schouders.

'Applaus!' roept Bert Boot.

Iedereen begint te klappen. Geweldig hard. Het is een da-
verend applaus. Bert Boot brengt Mees naar de rand van het
toneel. Daar staat papa te wachten. Papa draagt Mees naar
zijn stoel.

'Maar lieverd,' zegt hij, 'dat was een heel ander lied!'

Mees knikt. Hij gaat naast mama zitten.

'Je was fantastisch, Mezeman,' zegt mama. 'Fantastisch.'

'Maar het was een heel ander lied,' zegt papa. 'Waar ging
dit nu over? En wie is die Tom?'

'Dat vertelt Mees straks allemaal wel,' zegt mama. 'Laat
hem nu maar eventjes bijkomen.'

Mama begrijpt alles.

'En dan nu,' schreeuwt Bert Boot op het toneel, 'de drie
Truusjes Fakkeldij!!!'

Er klimmen drie meisjes het toneel op, drie majorettes
met hoge petten op hun hoofd en zilveren stokjes in hun
hand. Het publiek in de zaal klapt voor ze. Mees klapt mee,
maar hij is er met zijn gedachten niet bij. Hij kijkt niet naar
wat er op het toneel gebeurt. Hij droomt wat weg, hij denkt
aan Tim.

Hij ziet weer heel precies hoe Tim lachte, hoe Tim hard-
liep, hoe Tim nee schudde, op die eerste schooldag, toen juf
vroeg of ze zin hadden om rekenen te leren. Mees ziet weer
heel precies hoe Tim en hij de taal van de kippen bedachten
en hoe ze die ook spraken met elkaar...

Hij kijkt niet naar het toneel, waar al die andere jongens en meisjes vreselijk hun best staan te doen, hij luistert niet naar het applaus... Hij ziet weer heel precies hoe hij afscheid nam van Tim, zo gek... Hij ziet de lege kamer van Tim, met het afgescheurde behang, hij ziet de grote verhuiswagen weer langsrijden... Was het werkelijk Tim, die daar achter het raampje zat? En... heeft Tim Mees gezien, net op de televisie?

Mees schrikt op van tromgeroffel en trompetgeschal.

'En dan nu...' schreeuwt Bert Boot in zijn microfoon, '... de prijsuitreiking! De derde prijs is gewonnen door... de drie Truusjes Fakkeldij!!! Kom maar eens hier, Truusjes.'

Mees kijkt naar de drie meisjes met hun stokjes en hun hoge petten op. Ze klimmen op het...

Dan ziet Mees niets meer. Alles wordt zwart.

Mees voelt twee warme handen voor zijn ogen. Er staat iemand achter hem! Kan het waar zijn...? Mees wordt zó verschrikkelijk blij van binnen, dat het wel waar móet zijn... Hij pakt de handen vast en trekt ze voor z'n ogen weg. Hij draait zich om.

Daar staat Tim.

Mees springt op. Heel even weet hij niet wat hij moet zeggen. Maar dan weet hij het opeens heel goed en hij begint als een gek te praten. Hij wil alles tegelijk vertellen, *alles*... En Tim staat daar maar en kijkt naar Mees en lacht en lacht. Dan haalt hij zijn schouders op en duwt zijn oren naar voren. Hij kan Mees niet verstaan! Het is ook zo'n kabaal in de zaal... Alweer klinken er trommels en trompetten.

'De tweede prijs,' schettert Bert Boot, 'gaat naar... Beertje van Veen met zijn tuba. Kom maar hier, Beertje.'

Alle kinderen juichen en klappen en joelen, en Mees en Tim staan daar middenin en kunnen elkaar niet verstaan. Tim grijpt de hand van Mees en trekt hem mee. Ze rennen er samen vandoor. Mama en papa zien het niet gebeuren,

94

Soms is een vriendje heel dichtbij.
Dan woont hij in dezelfde straat
of zit hij naast je in de klas.
Een vriend met wie je altijd praat.

Soms gaat zo'n vriend dan heel ver weg.
Dat doet je dan veel verdriet.
En soms... ja, soms vergeet je hem.
Omdat je hem niet meer ziet.

Maar als je heel vaak aan hem denkt
en aan hoe leuk het is geweest,
dan komt hij op een dag weer terug.
Dan is het feest! Dan is het feest!

die kijken naar Beertje van Veen met zijn tuba.

Mees en Tim rennen langs het toneel, door het gangpad, naar de uitgang van de zaal.

'En dan nu het grote moment!' schreeuwt Bert Boot.

Mees en Tim rennen de deur uit.

'De eerste prijs is gewonnen door...'

De deur valt achter hen dicht. Ze horen niet meer wat er op het toneel in de grote zaal gezegd wordt. Ze rennen door tot ze in de lege kleedkamer komen. Daar is een trap; ze ploffen op de treden neer. Ze hijgen als honden.

'Hoe kon jij hier nu zo gauw komen?' hijgt Mees. 'Hier in Hilversum?'

'Almere is vlakbij,' hijgt Tim. 'Mijn moeder is er ook, die heeft me gebracht.'

'Ik was laatst bijna in Almere,' zegt Mees. 'Toen de koningin er ook was... Moet je zien.'

Mees haalt al zijn schatten te voorschijn, de tekening, de brief, zijn buskaartje en zijn treinkaartje. Het mes laat hij nog even in zijn zak. Het treinkaartje geeft hij aan Tim.

'Zie je wel?'

Tim kijkt er naar. Hij knikt.

'Dat mes,' zegt hij zacht, 'eh, dat zakmes...'

'Ja,' zegt Mees, 'het mes.'

Hij vist het uit zijn broekzak en hij legt het op zijn hand. Tim kijkt naar het mes. Mees kijkt naar Tim. Dan, heel gewoon, pakt Tim het mes. Hij lacht naar Mees en Mees lacht terug.

Stil, heel stil wordt het. Eigenlijk willen ze alletwee zeggen hoe aardig ze elkaar vinden en hoe fijn het is om weer samen te zijn. Maar dat zijn moeilijke dingen om te zeggen. Daar zou je eigenlijk nieuwe woorden voor moeten bedenken, nieuwe zinnen... Een nieuwe taal.

'Ha! Daar zit je!' roept papa. 'Waar was je nou toch?'

Papa staat met mama bij de deur van de kleedkamer.

'Je hebt de eerste prijs gewonnen,' zegt mama. 'Hoe vind je dat? Fantastisch, hè?'

96

Ze loopt naar Mees toe en geeft hem een dikke zoen.

'Hee Tim…!' zegt papa. 'Is dat niet Tim? Wat heb ik jou lang niet gezien. Jij was toch verhuisd…?'

Tim knikt en Mees knikt mee.

'En wat is dat?' vraagt papa opeens bozig. 'Wat moet je met dat mes? Dat is míjn mes!'

'Nee meneer,' zegt Tim, 'het is míjn mes. Ik had het op school laten liggen, vroeger… Mees heeft het voor me bewaard.'

'Heb jij al die tijd…?' vraagt papa.

'Kom op, jongens,' zegt mama. 'Iedereen zit op Mees te wachten. Je moet je lied nog een keer zingen.'

Mees en Tim staan op. Samen met mama en papa lopen ze terug naar de studio.

Als ze binnenkomen klinkt er een geweldig applaus. De trommels roffelen en de trompetten blazen felle tonen door de zaal. Papa tilt Mees op het toneel en Bert Boot loopt met Mees naar de microfoon.

'Alsjeblieft,' zegt hij. 'Die heb je wel verdiend.'

Hij geeft Mees een grote, blinkende prijsbeker. Er zijn letters in gemaakt. Mees leest ze:

DRIE MAAL DRIE IS NEGEN

EERSTE PRIJS

'En nu nog één keer je prachtige lied!' roept Bert Boot.

Mees geeft Bert Boot de beker en hangt zijn trommel om. Hij slaat een lange roffel en begint te zingen, van de stad, van de trein, van de krant…

Hij kijkt naar Tim, die in de zaal zit, naast mama en papa. Tim lacht naar hem en zwaait. En Mees zwaait terug. Hij lacht en zwaait en zingt:

'Ik heb nog iets van je. Dat geef ik je terug. Ik sla op mijn trom, ik roep mijn vriend… Tim.'

Van dezelfde schrijver:

ROBIN EN GOD
Op een mooie winteravond staat Robin voor het raam. Hij ziet
een ster die groter en helderder is dan alle andere sterren en
opeens weet hij: daar woont God. Hij weet het heel zeker.
Mama en papa geloven niet in God. Dat is lastig. Gelukkig
logeert opa bij Robin. Opa gelooft wel in God en hij weet er vrij
veel van.

'Dus,' zegt Robin, 'dus... God is niet gevaarlijk?'
'Welnee,' zegt opa. 'Een leeuw, díe is gevaarlijk.'
Robin zucht heel diep.
Hij vindt het fijn dat God niet gevaarlijk is.
Opa zucht ook heel diep.
'Dat was een moeilijk gesprek,' zegt hij.
'Maar je hebt het goed gedaan, opa,' zegt Robin.
'Dank je,' zegt opa.

Dit boek werd bekroond met de Gouden Griffel 1997